[illegible] DE ROSHEIM

[illegible] FORT SOUS LA [illegible]

[illegible] auteur des best-sellers [illegible] de Poche. 2016 [illegible] (Le Livre de Poche [illegible]) [illegible] des personnages [illegible] de [illegible]

LE PARFUM DU BONHEUR EST PLUS FORT SOUS LA PLUIE

Virginie Grimaldi est l'auteur des best-sellers *Le Premier Jour du reste de ma vie* (Le Livre de Poche, 2016) et *Tu comprendras quand tu seras plus grande* (Le Livre de Poche, 2017). Grâce à une écriture maîtrisée et des personnages attachants, ses romans ont déjà séduit des centaines de milliers de lecteurs.

Paru au Livre de Poche :

LE PREMIER JOUR DU RESTE DE MA VIE…
TU COMPRENDRAS QUAND TU SERAS PLUS GRANDE

VIRGINIE GRIMALDI

Le parfum du bonheur est plus fort sous la pluie

FAYARD

ISBN : 978-2-253-08811-0 – 1re publication LGF

« Tu ne sais jamais à quel point tu es fort, jusqu'au jour où être fort reste la seule option. »

Bob MARLEY

Pour mon mari,
Pour mes fils

Prologue

20 h 40

Il est en retard, comme toujours. Il l'était pour notre premier rendez-vous, il l'était pour notre mariage, il serait capable de l'être pour son enterrement.

— Désirez-vous boire quelque chose en attendant, madame ?

C'est la troisième fois que le serveur me tire de mon impatience. Je suis gênée de commencer sans Ben, mais encore plus d'être la personne qui bloque une table sans consommer. Je commande un jus d'orange.

— Quand mon mari sera là, nous prendrons une bouteille de Dom Pérignon.

Le serveur hoche la tête et repart vers le comptoir. J'oscille entre fierté et honte d'avoir dégainé la carte du champagne pour acheter sa patience.

21 heures

Je n'aime pas le champagne. Je n'aime pas l'alcool, de manière générale, ni tout ce qui peut me faire perdre le contrôle. Mais, ce soir, je vais faire une exception. On ne fête pas ses dix ans de mariage tous les jours !

Je vérifie l'écran de mon téléphone pour la soixante-douzième fois. Le réseau est bon. Aucun message. Il ne devrait plus tarder maintenant. Une heure de retard, c'est sa moyenne basse.

L'année dernière, il est arrivé à 21 heures au lieu de 19 h 30. On a beau lui donner rendez-vous plus tôt que l'heure prévue, il se débrouille toujours pour ne pas faillir à sa réputation.

Moi, c'est le contraire, je suis souvent la première arrivée. J'anticipe systématiquement d'éventuels contretemps pour ne pas être prise au dépourvu. Savoir que je risque d'être attendue me fait frôler la crise d'angoisse.

On s'équilibre : entre mon avance et son retard, quand nous arrivons ensemble, nous sommes à l'heure.

21 h 15

Nous venons ici tous les ans.

Pour la plupart des clients, c'est juste un bon restaurant avec une vue panoramique sur le bassin d'Arcachon. Pour Ben et moi, c'est « notre restaurant ».

Il y a onze ans, c'est ici qu'il m'a « presque » demandée en mariage, après avoir vidé son compte épargne pour m'offrir un plateau de fruits de mer et un solitaire en plaqué or et zirconium. Après quatre ans de vie commune, nous n'avions qu'une certitude :

les rides et les souvenirs, c'est ensemble que nous les accumulerions.

Le serveur me dévisage bizarrement. Je m'apprête à lui demander si j'ai un tourteau sur la tête lorsque je comprends l'objet de son trouble : mon visage est barré d'un sourire niais, sans doute depuis près d'une heure. J'attends quelqu'un qui ne se montre pas et j'arbore un air illuminé : ce type doit me prendre pour Bernadette Soubirous.

21 h 30

J'espère que Ben sera de meilleure humeur que ces derniers temps. Nous avons besoin de nous retrouver, juste tous les deux, hors des turbulences du quotidien.

Je compte les jours depuis des semaines. Notre anniversaire de mariage est immanquablement la meilleure soirée de l'année. On ne se lâche pas la main (la consommation des écrevisses en devient épique), on se remémore les mêmes souvenirs qui nous font chaque fois rire un peu plus, on s'offre des déclarations à faire pâlir Roméo, on s'émeut d'un regard, on dessine notre avenir du bout des doigts, et on repart avec la jauge d'amour chargée à bloc.

Pour nos dix ans, j'ai prévu des prolongations surprises. À l'étage, la chambre 211. Sous ma robe, mon ensemble en dentelle rouge, son préféré. Il va adorer. Il est probable que moi aussi.

22 heures

J'ai terminé mon verre. Le deuxième aussi. J'ai appelé Ben, il n'a pas répondu. Je lui ai envoyé deux SMS pour lui demander ce qu'il faisait. S'il n'avait pas oublié. Il n'a pas répondu.

J'essaie de faire taire mon inquiétude. Il a toujours été imprudent au volant, sans doute un effet secondaire de ses retards. Moi, j'ai toujours été anxieuse. Sur ce point aussi, on s'équilibre.

Le serveur m'observe avec perplexité. Je répète :

— Il va arriver, ne vous inquiétez pas.

Je ne suis pas sûre que ce soit lui que je cherche à rassurer.

22 h 30

Le restaurant va bientôt fermer, mais je ne perds pas espoir. Il ne peut pas ne pas venir. Je veux bien croire qu'il a autre chose en tête ces derniers temps, mais rien ne justifie son absence ce soir. Il a intérêt à avoir une bonne excuse et à me la livrer depuis un lit d'hôpital.

Il est forcément en chemin, il va passer la porte d'une minute à l'autre. Il ne me ferait pas ça. Il ne *nous* ferait pas ça. Me poser un lapin le soir de notre anniversaire de mariage serait un message trop irrévocable. Il va arriver. Il lui reste trente minutes.

Vingt.

Quinze.

Dix.

Huit minutes.

22 h 52

La porte s'ouvre, le serveur me lance un sourire. Je le savais.

Ce pantalon gris. Cette chemise blanche. Ces chaussures noires. Je reconnais immédiatement la silhouette qui s'avance vers moi. Ce n'est pas Ben.

— J'étais sûr que je te trouverais là. Viens, on rentre.

Je secoue la tête. Il reste huit minutes, il peut encore me rejoindre.

— Allez viens, Pauline, Maman s'inquiète.

— Attends, Papa, il va arriver. J'en suis sûre.

Mon père tire une chaise et s'assoit face à moi. Il pose la main sur mon épaule et la serre, comme pour me ramener dans le monde réel.

— Tu sais qu'il ne viendra pas, ma chérie. Tu te fais du mal à espérer… Ça fait trois mois qu'il t'a quittée. Allez, viens, on rentre à la maison.

Chapitre 1

Un mois plus tard

Le plus dur, c'est au réveil. Ces quelques secondes, plus ou moins nombreuses, plus ou moins étirées, durant lesquelles mon cerveau n'a pas encore fait la mise au point sur ma vie. Et puis, je me fracasse contre la réalité.

Les matins qui arrivent au terme de nuits peuplées de rêves dans lesquels il est encore là sont les plus difficiles. J'ouvre les yeux et, en lieu et place des rideaux blancs, des photos de Corse et de son torse à quelques centimètres du mien, je fais face à un mur rose, une affiche du film *Titanic*, et mon corps seul dans un lit une place. Je ne sais pas ce qui est le plus douloureux : avoir perdu mon mari, assister à l'explosion de notre famille ou retrouver ma chambre d'ado à trente-cinq ans.

On dit que le temps adoucit le chagrin, pour moi, c'est le contraire. J'ai mis du temps à aller mal. Au début, je n'avais aucun doute : Ben allait revenir. C'était une terrible erreur, il ne pensait pas réellement ce qu'il disait, il allait s'en rendre compte et on en rigolerait tous les deux. Lui plus que moi.

Puis est venue la colère. Ah, tu veux jouer à ça ? Tu crois que j'ai besoin de toi ? Regarde, mon gars, regarde comme je vais bien, regarde comme je continue de vivre comme si rien n'avait changé. J'étais tellement convaincante que j'y ai cru moi-même. Vivre sans lui était d'une facilité déconcertante, ceux qui ne se remettaient pas d'un chagrin d'amour étaient bien fragiles. Ce n'était pas un homme qui allait mettre un terme à mon bonheur.

La solidité a commencé à s'effriter par petites touches. Une envie de rester au lit par-ci, un agacement inopiné par-là, des larmes sans raison, des attaques de panique… Peu à peu, mon corps s'est rempli de vide. La joie a déserté, l'envie s'est fait la malle, l'espoir a fui. Je vis parce qu'il le faut, j'existe par automatisme. Je suis éteinte à l'intérieur d'une enveloppe qui fait semblant.

Les gens me félicitent de ne pas avoir sombré, de rester à la surface malgré la tempête. Ils me trouvent courageuse. Je suis tout le contraire. Si je me débats, c'est que j'ai peur. Parce que je sais que si j'arrête d'avancer, je vais couler tout au fond.

Il reste un moment, un seul dans ces longues journées, capable de me gorger de bonheur.

Sept heures et demie précises. Mon père dort encore, ma mère est sous la douche, j'ouvre doucement la porte de ce qui était la chambre de ma sœur. La pièce est plongée dans le noir, je me repère aux doux ronflements qui s'élèvent du lit. À tâtons, je pars à la recherche du petit corps chaud caché sous la couette. Je caresse sa joue, ses cheveux, j'entends sa respiration s'accélérer, ses gémissements ensommeillés, puis sa toute petite voix vient percuter mon cœur : « Bonzour Maman ! »

Ses bras s'enroulent autour de mon cou et ses lèvres font éclater un baiser sonore et mouillé sur ma joue. J'enfouis mon nez dans son cou qui sent encore le bébé et j'inspire longuement. Le plein de carburant est fait. Je peux affronter la journée.

Chapitre 2

Ma mère avale son café en feuilletant un magazine quand nous la rejoignons dans la cuisine. Jules caresse Mina, leur boxer, puis grimpe sur les genoux de sa grand-mère, direction la tartine beurrée.

— Coucou mon chéri, tu as bien dormi ?

— Regarde Mamie, z'ai un tee-shirt *Pissederman* !

Je grommelle un bonjour, elle me lance un sourire.

— Tu veux un toast ?

Tous les matins, elle me fait le même coup. Elle sait que je n'ai pas faim, que je me force à ingérer le minimum pour ne pas tomber malade, mais elle sait aussi que je ne peux pas refuser ses tentatives, parce qu'elles lui demandent de gros efforts.

Ma mère qui prépare le petit déjeuner, de mémoire d'homme, cela ne s'était pas vu depuis 1980. Je suis persuadée que, avant notre installation chez elle, elle ignorait où se trouvaient les tasses et les cuillères. Depuis quatre mois, dans l'unique but de me faciliter la vie, et donc de m'y redonner goût, je la vois effectuer des choses dont je la croyais incapable. Elle a fait nos lits avant notre arrivée, rangé mes affaires dans les placards, cuisiné deux repas (des pâtes et une pizza), repassé un tee-shirt de Jules, elle beurre des tartines et fait le café tous les matins, j'ai même eu la surprise de la voir nous attendre dans le jardin, à faire semblant de couper le rosier, alors qu'elle pourrait faire crever une plante rien qu'en la regardant. Nos rapports sont compliqués, mais pas au point que je snobe ses efforts.

Je hoche la tête. Satisfaite, elle entreprend de couper une tranche de pain lorsque mon père nous rejoint, engoncé dans la robe de chambre marron qu'il possède depuis – au moins – sa naissance.

— Laisse, chérie, je vais le faire !

Il ne compte pas céder son rôle. Au logis, la fée, c'est lui. Balayer, assaisonner, repeindre les volets, vider le lave-vaisselle sont ses passions. Depuis qu'il est à la retraite, il peut s'y consacrer pleinement et il ne compte pas se laisser voler la vedette par une débutante. À ceux qui s'en étonnent, ma mère affirme qu'elle se sacrifie pour laisser à son mari le plaisir de s'occuper de la maison, il rétorque qu'elle ne lui laisse pas le choix. En réalité, les besoins de l'un comblent les lacunes de l'autre, et vice versa, comme deux pièces de Lego qui s'emboîtent à la perfection.

Avec Ben, j'avais trouvé ma brique complémentaire. Mais un 38 tonnes a roulé dessus et a tout fait exploser.

Chapitre 3

On dit que le temps fait bien les choses. Qu'il atténue le chagrin et le transforme en souvenir. Pour le faire passer plus vite, je le remplis de routines, je le comble d'habitudes.

Toutes les journées se ressemblent, à quelques détails près : Jules, boulot, dodo agité. Un week-end sur deux, quand mon fils est avec moi, on enchaîne les activités. Quand il est avec Ben, j'enchaîne les siestes.

Quatre mois se sont déjà écoulés à ce rythme effréné. J'ai bon espoir d'atteindre les dix ans en un clin d'œil.

Comme chaque matin, je suis arrivée au bureau en avance. Tout était en place et j'avais commencé à lire mes mails quand mes collègues sont arrivés.

Je suis assistante dans une agence d'emploi. Je m'occupe de recevoir les candidats, de remplir leurs dossiers, de rédiger les offres, d'attribuer les postes et de gérer toute la partie administrative pendant que l'équipe commerciale se charge de développer le portefeuille clients.

Ceux qui viennent s'inscrire ont souvent semé tous leurs espoirs en chemin. Après Pôle Emploi, Le bon coin, Keljob, les cabinets de recrutement et le tableau d'affichage du supermarché, les agences d'emploi, qui proposent essentiellement des contrats précaires, font office de dernière chance. Ils répondent machinalement aux questions que je leur pose et hochent à peine la tête quand je les informe que je les appellerai si une offre leur correspond. Lorsque cela arrive, c'est le moment que j'aime le plus : j'ai l'impression d'être le père Noël, la barbe en moins.

Ces derniers temps, la hotte est vide. J'enregistre les inscriptions et les offres, je cherche la personne adéquate et, quand elle se réjouit, je m'en fous totalement. Je ne suis qu'un électrocardiogramme plat.

Il est 11 heures lorsque monsieur Bussy, un entrepreneur qui compte parmi nos plus gros clients, entre dans l'agence. La lassitude déborde par tous les pores de ma peau. Depuis l'ouverture, j'ai eu droit au florilège habituel :

— Je ne travaille pas le week-end, ni le soir après 16 heures.

— Attention, ne m'envoyez pas un boudin, ça va faire fuir les clients !

— *Yes I spoke anglish very good.*

Monsieur Bussy, avec son teint rougeaud et sa chemise offrant une vue imprenable sur son tapis angora, a décidé d'apporter sa contribution. Il parle fort, comme pour donner de l'importance à ses mots.

— Alors, ma cocotte, on a des problèmes auditifs ?

Malgré l'habitude, sa familiarité me fait l'effet d'un ongle sur une ardoise. J'affiche un sourire professionnel.

— Bonjour, monsieur Bussy. Que puis-je pour vous ?

— Si tu pouvais juste faire ton travail, ce s'rait déjà pas mal ! répond-il dans un rire gras. Je t'ai dit que j'voulais pas certains profils d'intérimaires. T'as rien compris, j'ai dû en virer deux du chantier ce matin. Sois mignonne, tu le notes en gros sur le dossier.

Je sais de quoi il parle. Mais puisqu'il a décidé que j'étais une idiote, j'entre dans le rôle :

— Que souhaitez-vous que j'écrive, exactement ?

— Que j'veux plus de Noirs. C'est des feignasses, ils travaillent à deux à l'heure, c'est plus possible ! L'autre là, ce matin, on aurait dit qu'il était sous anesthésie générale. Tu notes : pas de Noirs, juste des Portugais. À la limite, des Arabes.

— Vous savez que je ne peux pas faire ça.

— Et pourquoi pas ?

— Parce que c'est du racisme. C'est illégal, en plus d'être amoral.

Il me toise avec condescendance.

— Je te demande pas ton avis, j'donne assez de pognon à ton patron pour que tu fasses ce que je te dis ! Alors t'es gentille, tu prends un stylo et tu écris en gros « Pas de Noirs » sur mon dossier.

Je reste figée, mon sourire aussi. Foudroyée par la bêtise crasse de cet homme. Monsieur Bussy se lève, attrape un feutre bleu et le tend à quelques centimètres de mon visage.

— Ho ho, y a quelqu'un là-dedans ? crie-t-il en jetant le feutre sur le bureau. Voilà c'que c'est, de faire travailler les blondes ! Comme si c'était elle qui faisait la loi… Pauvre France ! Elle doit pas être là grâce à ses diplômes, celle-là. Je plains son mari, il doit…

Je n'entends pas la suite. C'est à cet instant, précisément à cet instant, que mon cerveau se met en pause, et que mon corps passe en pilotage automatique.

Une heure plus tard, je me retrouve dans le bureau de Pascal, le directeur de l'agence.

— Vous avez pété les plombs ?

C'est la question qui tourne dans ma tête depuis l'« incident ». Je suis incapable de répondre.

— Pauline, je sais que vous traversez une passe difficile, mais vous ne pouvez pas agir ainsi avec les clients. J'ai passé une heure à essayer d'empêcher monsieur Bussy de résilier son contrat avec nous, c'est très préjudiciable.

— Je suis désolée, je sais que j'ai été trop loin. Il a été injurieux, irrespectueux, je…

Pascal lève la main pour m'interrompre.

— On le connaît : monsieur Bussy est un rustre. C'est aussi l'un de nos plus gros clients, alors nous devons faire quelques concessions. Dans tous les cas, rien n'excuse votre réaction. Vous m'avez habitué à plus de professionnalisme.

— Je suis désolée, ce n'est pas mon genre.

— Je sais, c'est pourquoi je ne prendrai pas de sanction importante. Je pense que vous avez besoin d'un peu de repos. Allez voir le médecin, puis rentrez chez vous et revenez dans une semaine. On se débrouillera sans vous.

— Non ! Surtout pas ! Je peux travailler, je vous promets !

Il se lève en secouant la tête et fait le tour de son bureau.

— Ça fait un moment que vous êtes ailleurs, vous enchaînez les erreurs. Reposez-vous, ne vous inquiétez pas, je garde votre place au chaud.

— S'il vous plaît, Pascal ! J'ai besoin de travailler, ne me faites pas ça !

Il pose sa main sur mon épaule.

— Pauline, dois-je vous rappeler que vous venez d'envoyer votre presse-papier en verre dans les parties intimes de monsieur Bussy ? Je ne veux pas vous voir d'ici mercredi prochain. Vous avez besoin de temps.

Je capitule. Inutile d'insister, il ne cédera pas.

Du temps. Mais qu'est-ce que je vais bien pouvoir en faire ?

Chapitre 4

Burn out. Le verdict du médecin est sans appel. J'objecte quand même, sûre de mes arguments.

— Je ne vois pas pourquoi je ferais un *burn out.* Je ne suis ni débordée ni jeune maman.

Le docteur affiche sa mine réservée à ceux qui sont gentils mais un peu concons. Il m'a vue naître et ne manque jamais une occasion de dégainer cette preuve indiscutable qu'il me connaît bien.

— Pauline, tu sais que je t'ai mise au monde. Tu n'étais pas plus grande que mon avant-bras, ta tête tenait dans ma main, tu m'as regardé droit dans les yeux et tu m'as pissé dessus. Tu crois vraiment que tu peux me cacher quelque chose ?

— Je ne vous cache rien, je dis juste que je n'ai aucune raison de faire un *burn out.* J'ai un peu craqué au travail, mais c'était dû aux circonstances. Je vais bien, je suis juste un peu fatiguée.

Il secoue la tête.

— Tssss tssss tsssss. Je commence à avoir de la bouteille, je te l'accorde, mais je suis toujours un bon médecin. Tu as encaissé beaucoup de choses ces derniers temps et tu ne t'es pas ménagée, au contraire. Il faut que tu te reposes, je vais te prescrire un arrêt, tu reviens me voir dans deux semaines et on en reparle.

— Deux semaines, c'est beaucoup trop ! Je vais très bien, il *faut* que je travaille.

— Pauline, écoute-moi. Tu. Ne. Vas. Pas. Bien. Tu as perdu huit kilos depuis la dernière fois, tu as une tête à faire peur et ta tension frôle le plancher. Ton corps va lâcher, tu as un enfant qui a besoin de toi…

— Je sais ! Je m'en occupe bien, je fais tout pour qu'il soit heureux. Mais si vous m'empêchez de travailler, je n'y arriverai plus.

Il attrape son carnet et commence à griffonner dessus.

— Deux semaines, et on n'en parle plus. Fais-moi confiance, tu en as besoin. Et tu vas aller voir le docteur Pasquier de ma part. C'est un très bon psychiatre, il pourra t'aider.

C'est donc avec une ordonnance pour des somnifères, un arrêt de travail et une recommandation pour un psychiatre que je sors de chez le médecin. Bien décidée à les laisser tous les trois au fond de mon sac.

Chapitre 5

Un vendredi sur deux, on m'arrache un membre.

Appuyer sur l'interphone.
Attendre le déclic.
Pousser la lourde porte grise.
Appeler l'ascenseur.
Serrer sa petite main dans la mienne.
Entrer dans l'ascenseur.
Se concentrer sur les portes qui se referment.
Un étage.
Deux étages.
Sortir de l'ascenseur.
Faire les douze pas qui nous séparent de l'appartement.
Entendre ses petits gloussements d'excitation.
Inspirer.
Coller un sourire sur mon visage.
Sonner.
Regarder la porte s'ouvrir.
— Papa !

— Salut, mon grand, comment tu vas ? Bonsoir, Pauline.

— Bonsoir, Ben. Tu me le ramènes à 19 heures dimanche soir ?

— OK.

— Tiens, voilà son sac, Doudou est dedans.

— OK.

— Au revoir, mon chéri. Amuse-toi bien.

— Au revoir, Maman ! Amuse-toi bien !

Le serrer fort.

Mémoriser son odeur.

Résister à l'envie de le retenir.

Tourner les talons.

Entendre la porte se fermer.

Serrer les dents.

Chapitre 6

Ma mère a pensé qu'un poulet trop cuit et des pâtes collées me remonteraient le moral. Je me demande si je ne la préférais pas avant.

Je chipote dans mon assiette tandis que mon père mâche avec difficulté. Même ma mère préfère faire la conversation plutôt que de goûter l'objet du délit.

— Tu pourrais aller voir tes amis, ce soir !

— Quels amis ?

— Ceux que tu voyais avant ! Nathalie et Marc, Julie ou Samira et son mari, je ne sais plus son nom, ou tes copains de Paris, tu sais, ceux qui ont les deux petites filles…

— Je préfère rester ici. Je vais me coucher tôt.

— Ça te ferait du bien, intervient mon père. Ça fait longtemps que tu n'as vu personne, tu devrais profiter du fait que Jules soit chez son père pour sortir un peu.

— Une autre fois… Je suis fatiguée, je préfère aller dans ma chambre.

Je débarrasse mon assiette, la range dans le lave-vaisselle, j'embrasse mes parents et je pars me réfugier dans un épisode de série. Bien sûr que Nathalie, Julie et les autres me manquent. Certains m'appellent parfois, mais je ne réponds pas. Je n'en ai vu aucun depuis la séparation.

J'ai le chagrin égoïste. Je ne partage mon humeur que quand elle est bonne. Je n'aime pas gêner, et le malheur, ça gêne.

Au bout d'une demi-heure, j'ai lancé trois séries et je les ai arrêtées. Pas assez captivantes pour m'empêcher de ruminer. Je ne sais pas ce qui m'arrive. Habituellement, j'arrive à maîtriser mes pensées. Quand je décide de les focaliser sur un film, un livre ou n'importe quelle activité, elles obéissent. Ce soir, elles n'en font qu'à leur tête.

Est-ce que Jules est en train de dormir ? J'espère que je ne lui manque pas trop. Un peu quand même. Il a l'air de s'être adapté. J'aimerais avoir quatre ans. J'ai la fesse qui me gratte. Et à Ben, je lui manque ? Est-ce qu'il pense à moi parfois ? Il a peut-être quelqu'un d'autre. Je vais vomir les pâtes collées. Ça va s'arranger. Ça ne va pas s'arranger. Il faut jeter la robe de chambre de mon père. Cette série est nulle. Il était beau dans son pull noir. Pourquoi c'est tombé sur nous ? L'acteur a la même barbe que Ben. Il doit commencer à regretter. Je vais le faire mariner. Non, lui sauter dessus. Non, le faire mariner. Si je lui saute dessus, ça le fait mariner ? Le poulet était dégueulasse. Qu'est-ce que je vais faire jusqu'à mercredi ? Je le déteste. Je l'aime. Jules a un bleu sur le bras. Mon bébé. J'ai soif. Ben aimait bien cette série. Ça prouve qu'il peut avoir tort. De toute manière, il avait le cul poilu. Je vais aller boire un verre d'eau.

Mes parents sont sur le canapé, à faire des mots fléchés en regardant la télé d'un œil. Mina est vautrée entre eux, les pattes en l'air.

— Tu vas où ?

— Dans la cuisine, je vais boire un coup.

Mon père se lève, suivi de la chienne.

— Attends, je m'en occupe !

Je ne peux m'empêcher de rire face à son empressement. Ça faisait longtemps. Apparemment, rire, c'est comme faire du vélo : cela ne s'oublie pas.

— Papa, je sais me servir d'un robinet !

Heureux d'avoir réactivé une fonction chez sa fille, il surenchérit :

— Tu veux du Coca plutôt ? Ou du jus d'orange ? Je crois qu'on a de la menthe aussi…

Ma mère arrive en renfort, sait-on jamais.

— Je peux te faire un café. Tu veux une part de gâteau ? Il en reste un peu dans le frigo. Il faut que tu reprennes du poids, tu fais peur.

Ils s'agitent sous mes yeux, prêts à assouvir le moindre de mes désirs. Je leur demanderais un plateau de fruits de mer qu'ils iraient me les pêcher.

— Je vais juste prendre un verre d'eau.

Je n'ai qu'une envie : aller me glisser sous ma couette et trouver enfin une série capable de m'empêcher de cogiter. Mais mon père me lance le regard du chien abandonné sur une aire d'autoroute. Sans un mot, je retourne dans le salon et m'assois entre eux sur le canapé. Il n'en fallait pas plus pour les combler. Ils ne sont pas loin de remuer la queue.

Mon père à ma droite, ma mère à ma gauche, Mina à mes pieds, *Les Experts* en face, je me demande quelle durée est considérée comme suffisante quand ma mère fait appel à nos cellules grises :

— En sept lettres, « Rupture anticipée de contrat ».

— T'as quoi comme lettres ?

— La deuxième est un i, la quatrième un o. Je ne vois pas ce que ça peut être…

Je jette un œil sur la grille et réfléchis quelques secondes avant que la solution ne m'apparaisse. Je crois que j'ai trouvé mon prétexte pour aller au lit.

— Divorce, Maman. Divorce.

Chapitre 7

Ben n'est pas le seul à m'avoir quittée. Mon enthousiasme l'a suivi.

Ces derniers temps, il m'arrive de repenser à ma tante Annie. Son mari l'a quittée il y a une dizaine d'années, après vingt-cinq ans de vie commune. Elle était inconsolable, j'avais rarement vu quelqu'un d'aussi malheureux. J'ai eu de la peine pour elle. Le premier mois. Passé ce délai, que je jugeais suffisant pour une rupture, je ne comprenais pas qu'elle continue de se laisser aller. Il avait choisi de partir, il n'était pas mort, comment pouvait-elle dire que sa vie était foutue ? Il était temps de tourner la page et de se reprendre. Je me sens tellement proche d'elle aujourd'hui… Les grandes théories ne valent que pour ceux qui ne connaissent pas la pratique.

Ce soir, mon frère et ma sœur viennent dîner. Ils ne sont pas encore arrivés que je n'ai qu'une hâte : qu'ils soient partis. Je réagirais de la même manière si on m'annonçait que j'avais gagné un million d'euros ou que tous mes proches étaient décédés : je clignerais des yeux.

Mon père passe sa tête par l'entrebâillement de la porte de ma chambre.

— Tu viens m'aider à préparer le gratin ?

Il sourit exagérément, comme s'il voulait me convaincre que peler des pommes de terre était une activité fabuleuse.

Avec difficulté, je consens à me lever de mon lit, sur lequel j'imitais l'étoile de mer depuis ce matin. Peut-être que cuisiner fera passer le temps plus vite.

À peine le plat enfourné, la voix de ma sœur résonne dans l'entrée. Elle est en avance, nous avons ça en commun, à l'inverse de notre mère : aussi maniaques qu'elle est bordélique, aussi organisées qu'elle est je-m'en-foutiste. Je me demande parfois si elle ne nous a pas trouvées dans la rue.

Toute la famille d'Emma est là. Jérôme, le mari qui ouvre sa cinquième boîte *aux States*, et les trois enfants : Milan, quinze ans, qu'il a eu avec sa première femme et qui passe le bac, Sydney, qui sait dire bonjour en douze langues à cinq ans, et Nouméa, qui a fait ses nuits à peine sortie de sa grotte. Elle a six mois, je m'attends à ce que nous apprenions ce soir qu'elle sait piloter un avion.

Je les soupçonne d'avoir choisi les prénoms de leurs enfants en pointant leur doigt au hasard sur un globe terrestre. Dieu merci, ils ne sont pas tombés sur Noisy-le-Sec.

Ma sœur me tend les bras en souriant.

— Tu as bonne mine !

Pour qu'elle me fasse un compliment, je dois vraiment faire peur. Je la remercie et l'embrasse, avant que ne démarre le spectacle.

— Jules n'est pas là ?

— Non, il est chez Ben.

— Dommage, Sydney voulait le voir. Elle lui a fait un dessin, tu ne croiras jamais que c'est l'œuvre d'une enfant ! Je vais l'inscrire à des cours d'art plastique à la rentrée prochaine, il ne faut pas gâcher ce potentiel. Et tu as vu si Nouméa a grandi ? Elle a deux dents qui commencent à pousser, le pédiatre dit qu'elle est très précoce ! Tu veux la prendre dans tes bras ?

— Non merci.

— Il faudra bien que tu franchisses le pas un jour, je te rappelle que tu es sa marraine ! Elle tient bien sa tête, ça ne risque rien.

— Emma, viens m'aider à porter les boissons !

Je remercie silencieusement mon père, qui vient de me sauver d'une situation embarrassante.

J'ignore à quel moment nos chemins ont divergé. Petites, nous étions inséparables. Emma a deux ans de moins que moi, nous grandissions comme des jumelles. Romain est arrivé cinq ans après elle, et il n'a jamais réussi à intégrer vraiment notre duo. Aujourd'hui, je suis nettement plus proche de lui.

Si elle n'était pas ma sœur, je ne la supporterais pas. Qu'elle se gargarise sans cesse de sa vie parfaite ne serait pas un problème si elle se souciait également de ceux qui l'entourent. Mais, si cela ne la concerne pas, cela ne l'intéresse pas. Elle n'appelle que si elle a quelque chose à demander, elle n'écoute pas quand on se confie à elle, elle ne s'inquiète jamais des autres. Je n'attends rien d'elle et, face à son silence total au cours des quatre derniers mois, je m'en félicite.

— On va servir l'apéro, ça fera arriver Romain !

Mon père dispose sur un plateau verres, jus de fruits, rosé et les biscuits au parmesan qu'il a concoctés pour l'occasion. Jérôme y dépose une bouteille de vin.

— Château Pape Clément 2009, précise-t-il avec le plus grand flegme.

— Mais c'est de la folie ! s'écrie ma mère. Il faut la garder pour une occasion spéciale !

— Être réunis est une occasion spéciale. Et je vous réserve une autre surprise pour le dessert !

Ma mère glousse. Ma sœur le regarde avec dévotion.

— Beau-papa, vous me ferez le plaisir d'y goûter !

— Tu sais bien que je ne peux pas, Jérôme.

— Oh, ça va ! Tremper vos lèvres dans un grand cru ne vous fera pas replonger ! Rien à voir avec votre piquette !

Je m'apprête à lui enfoncer son grand cru dans la partie la plus profonde de son anatomie (et je ne parle pas du cerveau) quand mon frère fait son entrée.

— *Hello* tout le monde !

Je suis la première qu'il embrasse, en caressant mon dos au passage. Soutien fraternel silencieux. Puis il salue chacun avant de déclarer qu'il meurt de faim.

— Alors on attaque ! se réjouit mon père.

Nous venons de terminer le dessert lorsque Jérôme, qui a multiplié les allusions à sa surprise tout au long du repas, se décide enfin à la révéler :

— Vous êtes bien assis ?

Tout le monde hoche la tête. Il se rengorge. Ma sœur, visiblement dans la confidence, trépigne.

— Vous vous souvenez de la maison de la plage, à Arcachon ?

— Laquelle ? demande Romain.

— Celle qui vous faisait rêver !

Quand nous étions enfants, nos parents nous emmenaient souvent à Arcachon pour la journée. Nous insistions tous les trois pour passer devant la bâtisse au portail bleu qui se trouvait face à la jetée. On l'appelait « la maison de la plage ». Elle nous fascinait, avec ses larges baies vitrées, son jardin fleuri et son toit qui pointait vers le ciel. Un jour, j'avais annoncé très sérieusement que je l'achèterais quand je serais plus grande. Ils avaient tous beaucoup ri.

Jérôme se tait pour ménager le suspense.

— Et donc ? interroge mon frère.

— Vous avez devant vous le nouveau propriétaire de la maison de la plage ! Et vous êtes tous invités cet été !

Ma sœur applaudit, mon père le félicite, ma mère pousse des petits cris, les enfants sautent autour de la table et mon frère me sourit. Je cligne des yeux.

Les vingt minutes suivantes sont consacrées à la planification du séjour. Les vacances scolaires débutent dans une semaine, ma mère a posé tout le mois de juillet, mon père est à la retraite, Romain recherche vaguement un emploi et ma sœur élève ses enfants. Les congés de chacun coïncident : ils partiront en juillet. Il est même question de convier mes deux grands-mères, afin que la famille soit au complet.

— Et toi, Pauline ? demande ma sœur.

— Quoi, moi ?

— C'est bon pour juillet ?

— Mes vacances sont en août, mais ce n'est pas grave, ne vous privez pas pour moi !

Surtout pas.

— Oh ben non, Popo, on va pas partir sans toi ! lance mon frère.

— Je suis désolée, mais je ne peux vraiment pas décaler. La prochaine fois !

Ils expriment brièvement leur déception, puis reviennent à ce qui les préoccupe.

— La piscine est chauffée ?

— Il y a combien de chambres ?

— Y a une Tassimo ?

— On peut garer la voiture dans le jardin ?

J'observe distraitement la scène en remerciant mentalement mon patron de m'avoir imposé mes dates de vacances.

Chapitre 8

— Alors, c'est vraiment fini ?

Mon frère me pose la question qui tient mon cerveau en otage depuis quatre mois.

Il est une heure du matin, je raccompagne Romain à sa voiture. C'est le dernier à partir.

— Je ne sais pas. Je pensais qu'il allait changer d'avis, mais rien.

Il s'adosse contre la portière et allume une cigarette.

— Tu as tout essayé ?

Je réfléchis quelques instants, à la recherche de mes différentes tentatives.

— Je l'ai appelé un million de fois pour lui dire que je l'aimais, je l'ai supplié, je me suis introduite dans mon ancien appart pour l'attendre nue dans le lit, je lui ai réclamé un dîner durant lequel j'ai tenté de rallumer ses sentiments, je l'ai menacé, j'ai fait un selfie avec un inconnu dans un bar rien que pour le poster sur Facebook, je ne l'ai pas appelé pendant deux semaines en espérant que mon silence le ferait réagir, oui, vraiment, je crois que j'ai tout tenté.

Romain hoche la tête d'un air admiratif.

— Eh ben ! Je ne te croyais pas capable de tout ça ! Dans le lit, tu étais nue, nue ?

— Comme un ver.

— Ah merde.

— Comme tu dis.

Nous restons silencieux un moment. J'ai froid, mais je n'ai pas envie de rentrer. C'est la première fois que je parle de Ben. Habituellement, j'élude le sujet ou je fais en sorte de n'échanger qu'avec des personnes qui l'éviteront pour moi. Mes parents font ça très bien.

— Il dit qu'il ne m'aime plus, mais je suis sûre qu'il se trompe. Il était fou de moi. Les sentiments ne peuvent pas s'évaporer comme ça, du jour au lendemain !

— Et alors, qu'est-ce qui a pu se passer ?

— Aucune idée. Ça n'allait pas fort depuis deux ans, tu sais… Mais je me disais que c'était une mauvaise passe, qu'il nous fallait un peu de temps pour aller mieux. Il a dû oublier qu'on était heureux, avant.

— Alors il faut que tu le lui rappelles !

— Hein ?

Mon frère jette sa cigarette sur le trottoir et se redresse.

— Puisqu'il a oublié votre bonheur, il faut que tu lui rafraîchisses la mémoire.

— Mais comment ?

— Je sais pas, mais je suis sûr que tu vas trouver. Si t'es vraiment persuadée qu'il t'aime, tu peux pas abandonner si vite. Ce serait du gâchis.

— C'est ce que je me dis…

— Allez, Popo, faut que j'y aille, je vais rejoindre Thomas et des potes en boîte !

Il claque une bise sur ma joue, saute dans sa voiture, puis s'éloigne. Je lui fais au revoir de la main jusqu'à ce qu'il ait disparu, puis je ramasse son mégot et rentre dans la maison avec une seule idée en tête : il faut que je trouve un moyen de rappeler à Ben que nous nous aimons.

Chapitre 9

J'ai mal dormi. Les souvenirs ont remplacé les rêves. Notre rencontre, nos fous rires, nos engueulades, notre mariage, nos baisers, nos corps, nos projets, nos regards, nos promesses. Il faut qu'il se rappelle.

Je ne sais pas comment il fait. Ma plus grande peur à moi, c'est d'oublier. Plus les jours passent, plus je redoute de perdre le son de sa voix, son odeur, sa peau. Quand j'ai fait ma valise, j'ai pris un de ses tee-shirts dans la panière à linge sale. Je l'ai plié dans un sac plastique, que j'ai fermé d'un double nœud, puis je l'ai rangé dans une boîte. Si l'odeur disparaît un jour de ma mémoire, je pourrai la retrouver.

J'ai enregistré son dernier message vocal. Je le connais par cœur. « C'est moi. J'ai récupéré Jules à l'école, je passe faire quelques courses et on rentre. N'oublie pas d'appeler Nathalie pour ce week-end. Bisous. »

De notre vie, il ne reste que des souvenirs. Je ne veux pas les perdre.

Il est 7 heures du matin lorsque l'idée me fait bondir hors du lit. J'ouvre les tiroirs de mon bureau d'ado et je fouille jusqu'à tomber sur une feuille blanche et un stylo. Je m'assois, réfléchis quelques instants, puis commence à écrire.

31 décembre 1999

C'était le 31 décembre 1999. Tout le monde n'avait qu'une seule chose en tête : le bug de l'an 2000. Moi, je pensais à la soirée qui m'attendait. Pour la première fois de ma vie, à vingt ans, je m'autorisais un réveillon sans mes parents.

Avec les copines du BTS « Assistante de direction » que j'avais entamé un an plus tôt, nous avions tout prévu : nous nous retrouverions chez Julie à 19 heures, nous aurions une heure pour nous préparer, robes de soirée, paillettes sur le décolleté et pansements dans les escarpins, nous mangerions à Pizza Hut, puis nous rendrions au Bodegon, un bar qui organisait chaque année le réveillon le plus prisé de Bordeaux. Nous avions obtenu nos entrées grâce à Laurène, qui flirtait avec un barman. J'oscillais entre excitation et surexcitation, mais, pour l'heure, je devais me concentrer sur mon travail.

J'étais en stage depuis trois semaines dans une papeterie qui livrait des fournitures à la plupart des entreprises, écoles et institutions de la région bordelaise. Je gérais la saisie des commandes, les appels, les factures, les relances et les humeurs du patron. Je rédigeais un courrier quand tu es entré dans mon bureau. Je me souviens encore du mot que j'étais en train de taper : « douceur ».

— Bonjour, je peux regarder votre ordinateur ?

— Pourquoi vous voulez regarder mon ordinateur ?

— Pour voler vos données confidentielles, je bosse pour la concurrence.

Tu as éclaté de rire. Tu as dû avoir peur que je te mette un coup de boule.

— Je suis venu vérifier que tout était à jour au niveau informatique, votre patron a peur que le bug fasse tout sauter.

— Vous êtes informaticien ?

— Non, je suis boucher, mais c'est un peu pareil.

Tu as encore ri. Je devais vraiment te faire peur.

— Je suis étudiant en informatique, monsieur Bouffard est un ami de ma famille. Je m'appelle Benjamin, mais tout le monde m'appelle Ben. Je peux ?

J'ai reculé mon siège et je me suis levée pour te laisser la place, énervée que tu aies abusé de ma naïveté et que tu me fasses perdre du temps de travail au risque de me faire partir en retard. Et puis, tu t'es accroupi pour atteindre l'unité centrale, ton blouson s'est soulevé, ton jean s'est baissé et un caleçon orné d'un père Noël est apparu. J'étais foutue.

Chapitre 10

Ma mère conduit aussi bien qu'elle cuisine. Au deuxième virage, j'ai envie de vomir. Au troisième rond-point, j'ai envie de sauter. À la cinquième tentative de créneau, j'ai envie d'être adoptée.

Elle a insisté pour que je l'accompagne acheter du beurre. Cela semblait tellement important pour elle que je n'ai pas osé refuser. Pendant des années, nos rapports se sont contentés du minimum acceptable. Depuis mon départ de la maison à vingt ans, les fêtes, les maladies, les naissances, les décès et les manigances de mon père pour nous rapprocher ont été notre unique lien. Jusqu'à ce que je n'aie d'autre choix que de réintégrer le foyer parental.

C'est mon dernier jour d'arrêt maladie. J'ai été obligée de respecter la durée prescrite. J'en ai profité pour me reposer, profiter de Jules et attendre un signe de Ben. Il est temps que je reprenne le travail.

— Pourquoi tu te gares si loin de l'épicerie ?

Ma mère ne répond pas, mais affiche l'air de la gamine qui vient de casser l'urne de Pépé.

— Maman ? Il doit y avoir des places devant ! Je n'ai pas envie de marcher.

— Je t'ai menti. On ne va pas exactement acheter du beurre…

— Pas exactement ? C'est-à-dire ?

Elle arrête enfin le moteur, une roue sur le trottoir, et m'explique en prenant soin de ne pas croiser mon regard :

— Je suis allée chez le docteur Chinon la semaine dernière, pour faire renouveler l'ordonnance de Papa. Il m'a dit qu'il t'avait conseillé de prendre rendez-vous avec un psychiatre, mais il se doutait que tu n'obéirais pas. Alors je l'ai fait.

— Tu as fait quoi ?

— J'ai appelé le docteur Pasquier, tu as rendez-vous dans quatre minutes.

— C'est une blague ?

— Pas du tout. Allez, viens, tu vas être en retard.

Les protestations bloquées dans ma gorge, je descends de la voiture et suis ma mère vers la porte grise. C'est un mauvais moment à passer. Un unique rendez-vous que je me dépêcherai d'oublier.

10 janvier 2000

Mon stage prenait fin le 10 janvier. Chaque jour le précédant, tu as trouvé un prétexte pour intervenir sur mon poste de travail. Une mise à jour importante, un réglage essentiel, un ajout de mémoire urgent. J'étais la stagiaire la mieux équipée au monde.

Le dernier jour, tu n'es pas venu. Je guettais sans cesse la porte, tes passages étaient devenus l'attraction qui égayait ces longues journées de saisie. Tu avais un humour brut, direct, déstabilisant pour moi qui avais fréquenté jusque-là essentiellement des personnes qui favorisaient la retenue à la spontanéité.

À l'heure de partir, j'ai réuni mes affaires, salué mes collègues et mon patron, puis rejoint ma voiture, déçue de ne pas t'avoir vu une dernière fois. J'avais passé des heures à préparer la phrase parfaite pour te faire comprendre que j'aimerais te revoir tout en te laissant penser que c'était ton idée. Je m'étais entraînée face au miroir jusqu'à ce qu'elle sorte naturellement, sans colorer mes joues ni faire trembler mes mains.

À vingt ans, je n'avais eu que deux petits amis. Le premier, Sébastien, m'avait embrassée derrière un camion sur le parking du lycée. J'avais trouvé ça écœurant, mais j'avais réitéré, parce que tout le monde le faisait et qu'il fallait le faire. Comme la cigarette. Au bout de deux semaines et quelques morsures, j'avais dû me rendre à l'évidence : dans une autre vie, Sébastien avait dû être un décapsuleur. Quelque temps plus tard, il y avait eu Cyril. À force de vivre dans le même quartier, nous avions fini dans le même lit. Il était tout le contraire de ce que l'on attend de son premier amour : égoïste, rustre, infidèle, moqueur. Il m'avait fait perdre ma virginité et pas mal d'illusions. À part eux, tous les garçons qui m'avaient intéressée ne l'avaient même pas su. Toi, je ne te reverrais pas après le stage. Je n'avais rien à perdre. Je m'étais décidée à tenter quelque chose. Mais tu n'es pas venu.

Volontairement, j'ai mis beaucoup de temps à démarrer ma voiture. Je jetais des coups d'œil autour de moi en espérant voir tes boucles blondes apparaître, en vain. J'ai mis le contact en essayant de me persuader que ce n'était pas plus mal. Ta nonchalance ne me plaisait pas, de toute manière. Et puis, ces jeans troués que tu portais, non, vraiment, ce n'était pas pour moi.

J'ai passé le portail, je me suis engagée sur la route et j'ai pris la direction de chez moi. Ce n'est qu'une fois arrivée que j'ai vu le papier que tu avais coincé sous mon essuie-glace.

Chapitre 11

Le docteur Pasquier porte bien son nom : il ressemble à une brioche. Je contemple ses joues moelleuses tandis qu'il parcourt le courrier que son confrère lui a adressé par le biais de ma mère. Une bonne cinquantaine, blond *vintage*, barbu, des lunettes mauves assorties à la chemise, la photo de deux enfants qui jouent dans une piscine encadrée sur le mur derrière lui, je me détends légèrement face à cette normalité apparente. Le seul psy que j'ai connu jusqu'ici est celui qui s'est occupé de mon père il y a huit ans. Austère, moralisateur et sarcastique, je m'étais juré de ne jamais faire appel à un de ces marchands de bonheur.

— Que puis-je faire pour vous ?

La voix est douce, presque apaisante. S'il croit qu'il va m'avoir. Si je décide de ne rien dire, je ne dirai rien. Je sais me maîtriser.

— Rien. Ma mère et mon médecin m'ont forcée à venir, je n'ai pas besoin de voir un psy. Sauf votre respect, bien sûr.

Il hoche la tête sans se départir de son air bienveillant. Ils doivent travailler ça à l'école, le regard qui fait croire qu'ils s'intéressent vraiment à ce qu'on leur raconte.

— Puisque vous êtes là, vous ne voulez pas en profiter ? Nous avons une demi-heure à passer ensemble.

Je hausse les épaules. Il se penche sur le courrier.

— D'après mon confrère, le docteur Chinon, vous souffrez d'un *burn out*.

Silence.

— Apparemment, poursuit-il, vous vivez une situation familiale difficile. Voulez-vous m'en parler ?

Je secoue la tête.

Il me dévisage en silence pendant quelques secondes. Je détourne les yeux. Puis il attrape un livre parmi la pile posée sur son bureau, l'ouvre à une page marquée, le pose face à moi et prend une voix plus douce qu'un chinchilla.

— Une rupture, c'est la perte de quelqu'un, mais aussi celle de projets et de la vie qu'on avait imaginée. Le processus de deuil est commun à toutes les pertes, il comporte cinq étapes. D'abord le déni : on est sous le choc, on ne ressent rien, on encaisse. Ensuite vient la colère, contre soi et les autres, on ne comprend pas pourquoi ça tombe sur nous. Puis c'est le marchandage, on est prêt à tout pour revenir en arrière et annuler l'épreuve. Enfin viennent la dépression et l'acceptation. Les étapes se succèdent, mais peuvent aussi se chevaucher. Leur durée est variable. À quelle étape en êtes-vous ?

Je veux bien me taire, mais je ne peux pas le laisser dire n'importe quoi.

— Vous ne comprenez pas… Je n'ai perdu personne, c'est mon mari qui a perdu ses sentiments. Je n'ai aucun deuil à faire. Il faut juste que je l'aide à les retrouver.

Il hoche la tête d'un air entendu.

— Marchandage…

Elle commence à me plaire, la brioche.

— Je ne marchande rien du tout, je me bats pour mon couple. Qu'est-ce que je devrais faire ? Abandonner parce qu'il croit qu'on a fait le tour de notre histoire ? Je suis persuadée qu'il m'aime encore. Enfin, non, si je suis tout à fait honnête, je n'en suis pas vraiment persuadée. Mais à chaque fois que j'envisage autre chose, à chaque fois que je me dis que l'homme de ma vie me considère désormais comme une période de sa vie passée, je vois une montagne se dresser devant moi et je me sens incapable de la gravir. Appelez ça du marchandage si ça vous chante, mais je ne peux pas abandonner. Tous les jours, je lui écris un souvenir de notre histoire et je le lui envoie. S'il m'aime encore, il reviendra. Si ce n'est pas le cas, alors je pourrai commencer mon deuil. Mais pas maintenant. Pas encore. Je ne suis pas prête.

Le docteur Pasquier lève sa main pour m'interrompre.

— La séance est terminée.

— Quoi, déjà ?

— Oui, déjà. Donnez-moi votre carte Vitale.

Je plonge la main dans mon sac en me demandant ce qui m'a pris de me livrer autant. On ne m'y reprendra pas, je ne suis pas du genre à dévoiler ma vie au premier venu, si qualifié soit-il. S'il croit qu'il va m'avoir, avec son air compatissant et ses formules toutes faites, c'est mal me connaître. Il me rend la carte, prend mon chèque et ouvre son agenda.

— On se revoit dans quinze jours ? propose-t-il.

Je réfléchis quelques secondes.

— La semaine prochaine, plutôt ?

Chapitre 12

On dit que parler fait du bien. Alors j'aimerais comprendre pourquoi, depuis que j'ai vu ce foutu psy, je ne cesse de revivre le moment où mon existence d'avant a pris fin.

« Je veux qu'on divorce. »

Cinq mots. Deux secondes. Une phrase.

Il ne faut pas grand-chose pour qu'une vie bascule.

Je venais de coucher Jules, c'était un vendredi soir. Ben était rentré plus tôt que d'habitude, cela m'avait mise de bonne humeur. Depuis plusieurs semaines, j'étais abonnée aux débuts de soirée en solo, là nous allions enfin pouvoir voir le début du film ensemble. J'allais sortir les chocolats pour la peine.

Il était assis sur le canapé quand je suis revenue dans le salon. Il n'avait pas la tête de quelqu'un qui a envie de manger des chocolats. Je lui ai demandé si quelque chose n'allait pas, il m'a répondu « assieds-toi ». Mon cœur s'est emballé, j'ai cru qu'il avait quelque chose de grave. Je n'avais pas tout à fait tort.

— Je veux qu'on arrête, Pauline. Ça va plus du tout, je suis désolé…

— Qu'est-ce qui ne va plus ? ai-je réussi à articuler.

— Nous, toi, moi, tout ! On s'entend plus, ça sert à rien de s'acharner. On est jeunes, on peut pas se gâcher comme ça.

Un instant, je me suis demandé s'il ne récitait pas une tirade d'une des séries qu'on adorait regarder ensemble. Ça sonnait tellement faux. Ce n'était pas notre vie qu'il décrivait.

— Tu plaisantes, c'est ça ?

Je le fixais avec espoir. Il allait se mettre à rire et me dévoiler la caméra cachée derrière les rideaux.

— Je suis très sérieux, Pauline. Ne fais pas celle qui n'a rien vu, s'il te plaît. Ne complique pas les choses. Ça fait des semaines qu'on s'adresse la parole seulement pour parler de Jules, tu veux jamais discuter de ce qui nous ronge et je sais même plus quand on a fait l'amour pour la dernière fois.

Ma tête s'est mise à tourner, j'avais l'impression d'être dans une scène qui ne me concernait pas. Je me suis levée, j'ai attrapé la télécommande et j'ai allumé la télé.

— Pauline, écoute-moi.

J'ai zappé pour trouver un programme qui nous plairait à tous les deux. TF1, France 2, France 3, France 5, M6, Arte, C8…

— Pauline, s'il te plaît…

Sa voix se faisait plus douce au fur et à mesure que ses mots devenaient durs.

W9, TMC, NT1, NRJ12…

— Pauline, je veux divorcer. Je ne t'aime plus.
NRJ12. NRJ12. NRJ12.

Nous sommes restés silencieux durant de longues minutes. Les mots restaient bloqués dans ma gorge. De toute manière, qu'est-ce que j'aurais pu répondre à ça ? Qu'on s'était juré de s'aimer jusqu'à ce que la mort nous sépare et qu'on avait l'air bien vivants ? Que c'était une mauvaise passe, qu'on en aurait d'autres, mais qu'on les surmonterait ? Que je n'étais pas très bien en ce moment, mais que j'allais faire des efforts ? Que je le détestais ?

Il a quitté la pièce, puis est revenu avec une couverture et un oreiller.

J'ai passé la nuit seule dans notre lit, à lutter contre l'envie d'aller le retrouver pour qu'il me console. Durant des heures, j'ai calculé les probabilités que ce soit vrai. Au matin, les mathématiques l'affirmaient : il allait me dire qu'il était désolé, qu'il avait craqué et raconté n'importe quoi, que le boulot lui prenait la tête en ce moment et que nous allions partir en vacances tous les trois.

Je l'ai rejoint sur le canapé, je me suis glissée contre lui. Il dormait. Malgré les ressorts dans le dos et son coup de pied dans notre couple. J'ai posé mes lèvres sur les siennes, il a ouvert les yeux, s'est laissé faire quelques secondes, durant lesquelles un soulagement intense m'a envahie, puis il a reculé sa tête.

— Arrête, Pauline. Je t'ai dit que c'était fini.

Je n'étais plus sa puce, son cœur, son chaton. J'étais Pauline, un caillou dans sa chaussure.

La colère est montée d'un coup, rempart efficace contre les vagues de tristesse qui menaçaient de me submerger. J'ai bondi hors de la couverture, furieuse contre lui qui me rejetait et contre moi qui me ridiculisais. J'ai vidé les tiroirs dans une valise en attendant qu'il réagisse. J'allais partir, j'emmenais notre fils, et lui il restait là, assis sur le canapé, la tête entre les mains.

— Vous allez où ? s'est-il enquis quand j'ai demandé à Jules de dire au revoir à son père.

— Chez mes parents.

— Tu peux rester ici.

— Non, je ne peux pas.

— Comment je fais pour le voir ?

— Il te suffit de demander. Ce n'est pas mon choix, c'est le tien.

Il l'a serré fort contre lui, il lui a dit « à bientôt mon grand », j'ai senti mon cœur se ratatiner. Il nous a raccompagnés jusqu'à la porte, Jules est sorti de l'appartement, content d'aller chez Papy et Mamie, j'ai jeté un dernier regard à mon mari, il pleurait. J'ai tourné les talons et je me suis éloignée de mon foyer. J'avais à peine fait deux pas que j'ai entendu la porte se fermer en silence. Elle a eu le bon goût de ne pas en rajouter.

Je suis restée plantée là quelques secondes, hébétée. Et puis, mon petit amour a attrapé ma main libre et m'a entraînée en sautillant vers l'ascenseur.

15 janvier 2000

« Rendez-vous devant la mairie samedi à 16 heures. »

C'est ce que tu avais écrit sur le papier glissé sous l'essuie-glace. À 16 h 20, j'allais partir quand tu es arrivé au volant de ta vieille Visa.

— Je suis désolé, j'ai eu un contretemps !

C'était la première fois que je te voyais hors du bureau. Tu paraissais plus petit, pourtant tu m'impressionnais davantage. Tu portais un jean, une doudoune et un bonnet, moi ma plus belle robe et la chair de poule. Nous sommes restés plantés quelques secondes, à chercher ce que nous pourrions bien nous raconter, puis tu as désigné ta voiture :

— Acceptes-tu de monter dans mon carrosse ?

Je suis montée, tu as mis le contact, le moteur a couiné, je t'ai regardé, tu as souri, tu as réessayé, le moteur a henni, tu as fait un bisou au volant en demandant à Titine de bien vouloir démarrer, j'ai ri, Titine a obéi et nous avons pris la route, direction Arcachon.

— On va passer une super soirée ! m'as-tu dit.

— Je n'en doute pas.

J'avais raconté à mes parents que j'allais passer la soirée chez ma copine Nathalie. Ils n'auraient sans doute pas vu d'inconvénient à notre escapade, c'est moi qui n'assumais pas. Et si tu étais un tueur en série ?

Mes doutes se sont accrus quand la voiture a commencé à brouter. Ils ont été remplacés par une certitude quand le moteur a rendu l'âme. Nous étions au milieu des pins, le premier village se situait à des kilomètres, il ferait bientôt nuit, tu allais me couper la tête avec la scie cachée dans le gros sac noir posé sur le siège arrière et la mettre dans une boîte, comme dans Seven.

Tu as essayé de ranimer Titine, en vain. Pendant quelques secondes, tu as posé ton front sur le volant, sans doute pour te donner du courage. Puis tu as éclaté de rire.

— Tu sais où je voulais t'emmener ?

— Non, ai-je répondu, méfiante.

— À la dune du Pilat, admirer le coucher de soleil. Regarde, j'avais tout prévu…

Tu as attrapé le sac noir, l'as ouvert et en as sorti une couverture, des bougies, des sandwichs, une bouteille de mousseux et des flûtes en plastique.

J'ai ri avec toi. Je n'allais pas perdre la tête. Soulagée, j'ai émis une idée, et tu as immédiatement accepté.

C'est ainsi que nous avons passé notre première soirée sur la banquette arrière d'une Visa décédée, à partager une couverture, des sandwichs au pâté et des bulles en plein mois de janvier.

Vers minuit, nous nous étions raconté nos vies, nos envies, nous avions refait le monde du haut de nos vingt ans, mais aucun de nous n'avait osé embrasser l'autre.

Nous avons finalement réussi à arrêter un automobiliste, qui nous a ramenés non loin de la mairie. Tu m'as raccompagnée à ma voiture, je t'ai remercié, tu as dit « toi, merci », j'ai attaché ma ceinture, tu t'es penché et tu as déposé sur mes lèvres un baiser tout doux, au bon goût de pâté.

Chapitre 13

— Maman, on va rentrer quand à la maison ?

Jules, dans son pyjama Buzz l'Éclair, est étalé de tout son long sur moi pendant que je lui gratouille la tête. C'est notre rituel du soir, juste avant les dents, pipi et au lit. Ma mère, assise à nos côtés sur le canapé, guette ma réaction.

— C'est ici notre maison maintenant, mon chaton.

Il se redresse et me fixe avec des yeux ronds.

— Mais non, Maman, c'est la maison à Papy et Mamie ! Moi ze veux être avec Papa !

Je continue de sourire comme si mon cœur ne venait pas de se déchirer.

— Tu iras chez Papa bientôt, mon chéri. En attendant, Buzz l'Éclair va aller faire un gros dodo !

Il croise les bras et fronce les sourcils avec beaucoup de conviction.

— Ah non, pas dodo !

— Allez, Jules, il est déjà tard, demain il y a école, on y va !

— S'il te plaît, Maman, ze veux encore un câlin !

Je suis à deux doigts de me laisser convaincre, comme chaque soir, quand la voix de mon père intervient :

— Je crois qu'un petit garçon va recevoir une attaque de bisous…

L'effet est immédiat : Jules se met à courir en hurlant jusqu'à ce que son grand-père parvienne à l'attraper et fasse claquer sur son ventre des baisers sonores. Je contemple ce joyeux spectacle quelques instants, laissant les vagues de rire effacer mes inquiétudes.

Depuis deux nuits, Jules a recommencé à mouiller son lit. La seule chose qui me réconfortait, c'était justement qu'il ne soit pas affecté par notre séparation. Je n'en suis plus si sûre et cela me rend malade. Je sais que, dans quelques heures, il va m'appeler en pleurant, parce qu'il sera trempé. Il grelottera, il s'excusera, je le rassurerai, ce n'est rien, mon amour, tu es tout petit, tu as le droit de faire pipi au lit, je le serrerai dans mes bras pour le réchauffer, puis je le changerai et il viendra terminer sa nuit dans mon lit, bras et jambes écartés pendant que je me concentrerai pour ne pas me retrouver par terre. Tous les sacrifices ne sont rien s'ils permettent de ne jamais effacer ce sourire plein d'innocence qui illumine son petit visage.

Pour mon enfant, je suis prête à tout. Je peux manger froid, regarder *Nemo* un milliard de fois sans avoir envie de le transformer en poisson pané, céder la dernière bouchée de mon plat préféré, laisser les fourmis envahir mes bras parce qu'il s'est endormi contre mon épaule, accrocher des pare-soleil *Cars* dans la voiture, me lever cent fois la nuit sans retrousser les babines, écouter René la Taupe en boucle, m'extasier devant un collier de nouilles, sourire quand il me réveille avec un doigt dans l'oreille, manger des légumes, rester zen quand mon téléphone tombe dans la cuvette des toilettes, accueillir de la pâte à modeler dans les cheveux, passer des heures au parc, nettoyer d'autres vomis que les miens, accepter que les jouets s'incrustent dans la décoration, me transformer en cheval, en canapé, en trampoline, en toboggan, crier silencieusement quand je pose mon pied nu sur un jouet la nuit, accepter que quelqu'un me pince les « titis » en rigolant, supporter mes vergetures et le flan qui ont remplacé mon ventre plat, annuler un week-end génial parce que la varicelle s'est invitée, remplacer les gros mots par des ridicules mots, applaudir un pipi dans le pot, faire parler une peluche.

Je ne supporterais pas qu'il soit malheureux.

Jules a le hoquet quand mon père cesse son attaque de bisous. Je profite de la trêve pour essayer de le prendre dans mes bras.

— Allez, chéri, on va se coucher.

Il me repousse et s'agrippe au cou de son grand-père.

— Non, pas toi ! Je veux Papy !

Mon père m'interroge du regard, j'acquiesce d'un signe de tête et je fais au revoir de la main à mon petit amour tandis qu'ils s'éloignent vers la chambre. Ma mère tapote le canapé pour m'inviter à m'asseoir à ses côtés. Mina soupire et, une patte après l'autre, se laisse glisser sur le sol.

— Tu veux une tisane ?
— Non merci.
— Tu restes avec nous ce soir ?
— Non, je vais aller regarder une série dans ma chambre.
— Il est perturbé, le petit.
Je lève les yeux au ciel.
— Il est juste un peu fatigué, il s'est couché tard tous les soirs de la semaine. Arrête de te faire du souci, Maman.
Ma mère pose ses mots fléchés et plante ses yeux dans les miens. J'ai quinze ans et je vais me faire remonter les bretelles.
— Pauline, tu peux prétendre que tu vas bien, mais tu ne peux pas fermer les yeux sur ce que ressent ton fils. Cet enfant va mal, il faut que tu te reprennes en main.
— Que je me reprenne en main ? Je ne vois pas le rapport avec moi ! D'accord, Jules est peut-être un peu bouleversé, mais ses parents viennent de se séparer, c'est normal !
— Je ne suis pas sûre que ce soit le problème. Je pense qu'il souffre de te voir malheureuse. Tu ne peux pas faire semblant avec lui, les enfants sont des éponges. On a eu un cours à ce sujet récemment à l'hôpital, ils disaient que rien n'était pire que d'afficher un visage différent de l'humeur ressentie. Ça envoie un message contradictoire.
Ma mère sait toujours mieux que moi ce qui est bon pour mon enfant. D'abord parce qu'elle est ma

mère, ensuite parce qu'elle est sage-femme. Avis compte double.

— Ben va revenir, Maman. Et tout le monde ira mieux.

Elle me regarde comme si je venais de pondre un œuf.

— Pauline, il va vraiment falloir que tu te réveilles. Peut-être que Ben reviendra, mais peut-être qu'il ne reviendra pas. Il faut que tu avances, ta vie continue.

Je n'ai pas envie d'entendre ça. Ils m'emmerdent tous à vouloir que j'aille de l'avant. Je suis à l'arrêt, le moteur allumé, j'attends qu'il revienne sur le siège passager. Ce n'est pas compliqué à comprendre.

J'embrasse ma mère et je lui souhaite une bonne nuit.

Je viens de m'effondrer sur mon lit quand mon téléphone sonne. J'ai un message. Comme à chaque fois, j'adresse une prière au dieu des télécommunications : faites que ce soit lui.

Je déverrouille l'écran. Dieu existe.

De : Mon amour

Message : On peut se voir ?

Chapitre 14

Il est déjà là quand j'arrive. Je marche vers sa table en essayant de ne pas analyser son avance ni sa mine grave tournée vers l'écran de son téléphone. Lorsque j'ai répondu à son texto en lui demandant pourquoi il voulait me voir, Ben a répondu qu'il préférait que nous parlions « en vrai », smiley qui sourit. J'ai mis du mascara waterproof.

Il range son téléphone en me voyant et m'observe sans un sourire tandis que je m'assois face à lui. Smiley qui fait la gueule.

— Salut Pauline.

— Salut…

— Tu bois quelque chose ?

J'avise la bière posée devant lui et je commande un jus d'orange.

— Pourquoi tu voulais me voir ?

Il boit une gorgée et pince les lèvres, comme à chaque fois qu'il est gêné. Il est raide sur sa chaise, je tente de maîtriser mes tremblements, il ne sourit pas, je souris un peu trop, les gens doivent penser qu'il s'agit d'un premier rencard. Qui pourrait croire que nous nous sommes embrassés durant des heures, qu'il me tenait la main pendant que je mettais au monde notre fils, que nous connaissons tout l'un sur l'autre, qu'il me disait que j'étais la personne qui comptait le plus pour lui, que nous portons le même nom ?

Depuis que j'ai reçu son message, mes espoirs essaient de sortir de la petite bulle dans laquelle je les ai enfermés. Et s'il avait changé d'avis ? Et s'il avait pris conscience de son erreur ? Et si je lui manquais ?

— Il faudrait qu'on vende l'appartement.

Mon cœur tombe en miettes.

Il poursuit :

— C'est difficile pour moi de vivre là. J'ai contacté une agence immobilière et on peut en tirer un bon prix. Je me suis renseigné pour le crédit, on peut faire des virements séparés et même un remboursement anticipé, mais ce n'est pas forcément intéressant. T'en penses quoi ?

— …

— Pauline, tu en dis quoi ?

— Je peux te poser une question ?

Il hoche la tête.

— Comment tu fais ?

— Comment je fais quoi ?

— Comment tu fais pour tourner la page, pour aller bien ? Comment tu fais pour vivre sans nous ? Putain, Ben, comment tu fais pour être indifférent à tout ça ? T'es devenu un étranger, t'as vraiment besoin d'être aussi froid ? C'est moi, Pauline… ta femme !

Il reste figé un instant, puis passe la main dans ses boucles.

— Je m'interdis d'y penser, je ne regarde pas en arrière. C'était trop dur, Pauline, je n'y arrivais plus…

— Je t'ai fait tant de mal ?

Pas de réponse.

— Tu reçois mes lettres ?

— Oui.

— OK. Je te demande juste une chose : laisse-moi jusqu'à fin juillet. D'ici là, j'aurai fini de t'envoyer nos souvenirs. Si ça ne te fait pas changer d'avis, on vend et on divorce. Ça te va ?

— Pauline…

— S'il te plaît.

Il soupire.

— Si tu veux. On fait comme ça.

Je bois une gorgée, laisse la monnaie et quitte la table.

J'ai bien fait de mettre du waterproof.

14 février 2000

C'était la Saint-Valentin. Je n'étais encore jamais venue chez toi.

Tu vivais chez tes parents, dans une chambre indépendante installée dans l'ancien garage, tu avais même une salle de bains avec baignoire. Il faisait nuit, on revenait du cinéma Le Français, qui repassait Titanic *en VO. Je l'avais déjà vu cinq fois en salle au moment de sa sortie et sans doute autant de fois sur le magnétoscope, je connaissais chaque réplique de Rose et chaque regard de Jack, mais chaque fois c'était la même chose : au moment où elle montait sur le canot de sauvetage en le laissant sur le pont, mes yeux se transformaient en fontaine.*

Je hoquetais encore en passant la porte de ta chambre. La décoration m'a calmée d'un coup. C'était fait avec beaucoup de goût. Beaucoup de goût pour un enfant de six ans. Je t'ai suivi en regardant autour de moi et je me suis assise sur ton clic-clac, entre un vaisseau de Lego et une étagère recouverte de voitures miniatures.

Tu t'es posé à côté de moi. Nous savions tous les deux pourquoi nous étions là, et ce n'était pas pour empiler des briques. Nous nous sommes embrassés longtemps, aucun de nous n'osant faire le geste qui allait nous faire accéder au niveau supérieur. Je ne l'avais fait que deux fois avant toi, toi pas beaucoup plus. J'avais mis ma plus belle culotte, tu étais tombé dans le parfum.

Tu as tenté de dégrafer mon soutien-gorge pendant cinq minutes, je l'ai finalement fait, tu t'es allongé sur moi, tu as failli m'étouffer, je me suis assise sur toi, j'ai failli t'émasculer. Tu as pétri mes seins jusqu'à ce qu'ils changent de forme, ma main rôdait autour de ton bas-ventre sans oser s'aventurer trop près du nez de Pinocchio, notre première fois virait au bêtisier quand tu as enfoui ton visage entre mes cuisses. J'essayais de contrôler ma voix, d'avoir le plaisir discret, mais mes gémissements ont couvert le bruit de la porte qui s'ouvrait. La première image que ta mère a eue de moi est celle d'une fille proche de la convulsion tenant entre ses jambes le visage de son fils orné d'une moustache frisée.

Chapitre 15

C'est la kermesse de Jules. La première année de maternelle est déjà terminée. Je me souviens de la rentrée comme si elle avait eu lieu hier.

Jules lâche ma main et se précipite vers ses copains sitôt le portail de l'école franchi. Il porte un costume de jardinier, Ethan est déguisé en carotte, Anna est une fraise. Le thème du spectacle a été gardé secret, mais nous détenons quand même de gros indices.

Ma mère attrape mon bras et glisse à mon oreille :

— Ben est là.

Je suis son regard. Il est assis sur un banc, au premier rang face à l'estrade. Sa mère est à ses côtés. Elle se détourne comme si elle ne m'avait pas vue. Ben se lève et se dirige vers nous. C'est la première fois qu'il va revoir mes parents.

Il me salue d'un signe de tête, embrasse ma mère et tend la main à mon père, qui la lui serre prudemment. Nous restons plantés quelques secondes, nous mériterions un rôle dans le spectacle, puis il nous fait un petit signe de la main et s'éloigne vers Jules, qui le gratifie d'un bonjour de loin, trop occupé à jouer avec Théo-le-Poireau. Il finit par retourner près de sa mère, la démarche qui dit « je m'en fous », mais les épaules qui affirment le contraire.

— Bien fait pour lui, me chuchote ma mère.

Je hoche la tête en luttant contre mon envie d'aller le réconforter.

Les plus petits commencent le spectacle. La classe de Jules. Les enfants se préparent à monter sur l'estrade pendant que la directrice termine son discours. Je sors mon appareil photo de son étui, vérifie que la batterie de secours est bien dans la pochette et confie le caméscope à mon père.

La directrice est applaudie, la musique démarre et une dizaine de fruits et légumes investissent la scène en dansant. Sur le côté, mon tout-petit attend son tour en se dandinant, la bouche tordue. Je connais cette tête-là, et elle ne me dit rien qui vaille. Je lui fais de grands signes de main, je lui envoie des bisous et des sourires, je l'encourage silencieusement. En vain. Le caca, c'est plus fort que toi.

Mon père a remarqué aussi.

— Pourvu qu'il arrive à se retenir…

— Il n'y arrive jamais, ce serait un miracle.

Mon petit jardinier entre enfin sur scène en trottinant, un arrosoir à la main. Le visage concentré, il s'arrête devant chacun de ses camarades agenouillés et fait mine de les arroser. C'est la première fois que je suis émue de voir des carottes recevoir de l'eau. C'est à la hauteur du concombre que les choses se gâtent. Jules lâche brusquement l'arrosoir et plaque ses mains sur ses fesses en se tortillant. Il ne me quitte pas des yeux et semble implorer mon aide. Je claquerais bien des doigts pour mettre tout le monde sur pause, mais je crains que cela ne fonctionne pas.

Je quitte mon banc et me dirige vers la maîtresse pour lui demander de le faire sortir de scène. Jules comprend et se met à courir dans ma direction. Le reste va très vite. Les yeux remplis de larmes, il trébuche sur les racines du poireau et s'étale de tout son long. Il se relève immédiatement, recule en voyant qu'il a déchiré son tablier, les joues inondées, je lui fais signe de me rejoindre, il recule encore, je crie, le public crie, la maîtresse crie, et le petit pied de Jules se retrouve dans le vide, avant que son corps y bascule tout entier.

27 mai 2000

— Vous êtes plus petite que la précédente.

C'est cette phrase qui a donné le coup d'envoi de ma relation avec ta mère. Tu m'avais prévenue : ta mère et la bienveillance faisaient chambre à part.

J'ai senti ta main serrer plus fort la mienne, et je t'ai suivi à l'intérieur de la maison dans laquelle tu avais grandi.

Louis XIV lui-même ne l'aurait pas décorée autrement. Du chêne, des dorures, des tapisseries, des natures mortes qui auraient mérité de l'être vraiment, des fauteuils en velours, des portraits familiaux, des statuettes en bronze et, au milieu du salon, une table dressée avec porcelaine véritable et argenterie.

— Asseyez-vous, nous allons passer à table directement.

Le tribunal était composé de trois juges : ta mère, ton beau-père et son fils de quinze ans. Une famille recomposée face à moi, décomposée.

L'interrogatoire est allé crescendo. *À la fin du plat principal, tout le monde savait que j'aimais les huîtres* mais pas trop les haricots verts, que j'avais un an de plus que toi, que j'avais eu un chat qui s'appelait Nestor, et surtout que je n'avais pas encore terminé mes études, que je ne gagnais donc pas d'argent, mais que ça me plaisait beaucoup, merci, que mes parents étaient encore mariés, que ma mère était sage-femme et que mon père travaillait à l'usine, que non, effectivement, ils ne roulaient pas sur l'or, qu'ils étaient locataires, que si si, il était possible d'être heureux en ayant grandi dans une famille modeste, que oui, je savais ce qu'ils faisaient dans la vie, que non, je ne me sentais pas vraiment impressionnée, que je reprendrais bien du rôti.

J'en étais à ma deuxième bouchée du dessert quand ton beau-père et ses sourcils en friche m'ont posé la question subsidiaire :

— Pour quelle raison êtes-vous en couple avec Benjamin ?

L'allusion à notre différence de milieu était à peine voilée. Je comprenais mal leur obsession. Tu m'avais expliqué que ta mère était issue d'une famille qui avait été fortunée, mais qui ne l'était plus. De surcroît, elle tenait à ce que tu te débrouilles seul et ne te versait pas un centime. Si j'avais visé un homme riche, j'aurais clairement dû prendre des cours de tir.

Tu m'as regardée en souriant :

— Tu peux leur dire la vérité.

J'ai senti le sang me monter au visage.

— Quelle vérité ?

— Tu peux leur dire pourquoi tu es vraiment avec moi.

J'ai bafouillé quelques mots en cherchant une explication dans tes yeux.

— Pauline n'osera pas vous l'avouer, as-tu poursuivi à l'intention des membres de ta famille, mais elle est avec moi pour une seule raison.

Tous les trois t'observaient avec un air entendu. Tu as donné le coup de grâce :

— C'est parce que je suis un très bon coup.

J'ai distinctement vu l'effroi passer dans leurs yeux, tu t'es esclaffé, avant d'avaler un morceau de gâteau. Ils n'ont plus ouvert la bouche du dîner. Ce soir-là, pendant que tu me raccompagnais chez moi, je t'ai dit « je t'aime » pour la première fois. En précisant bien que ce n'était pas que pour ça.

Chapitre 16

La salle d'attente de la radiologie est pleine. Je n'ai pas pu accompagner mon fils dans la pièce, mais le médecin du SAMU a été rassurant. Jules a eu le réflexe de se rattraper avec les bras, la tête n'a pas heurté le sol. Ben est assis à mes côtés. Nous n'avons pas échangé un mot depuis notre arrivée. Je n'ai pas la force de faire la conversation, je suis paralysée par la peur. Mon petit amour est tout seul, en train de subir des examens, il doit être terrorisé, il doit avoir mal, je compte les secondes pour les faire avancer plus vite.

Je ne sais pas quels souvenirs il gardera de son enfance. J'ignore comment le cerveau sélectionne ce qui sera conservé et ce qui sera jeté aux oubliettes. Quand j'avais six ans, je suis tombée d'un arbre et je me suis ouvert le front. Me restent une cicatrice et quelques réminiscences. Mon père qui me porte. Ma mère qui crie. Le sang qui coule dans mes yeux. Les chocs marquent davantage que les bons moments. Ces derniers, je les consigne dans un cahier depuis sa naissance, un peu pour lui, un peu pour moi. Je le lui donnerai le jour de ses dix-huit ans, dans la grande boîte bleue avec ses premiers chaussons, sa première sucette, son doudou et son carnet de santé. Si je pouvais, j'enfermerais dans une autre boîte ses mauvais souvenirs et j'y mettrais le feu.

— Je vais y aller, annonce Ben en se levant.

— Comment ça ?

— J'avais un truc à faire ce soir, je peux pas décaler. Le docteur a dit que ça ne devrait pas être trop grave, tu me tiens au courant ?

— Tu plaisantes, Ben ?

— Oh, ça va, tu vas pas commencer… Je suis venu, ne me fais pas passer pour un mauvais père ! On attend depuis deux heures, je dois absolument partir. Tu pourras m'appeler quand on saura ce qu'il a ?

Si je lui casse la mâchoire, il sera sur place.

— Non, je ne t'appellerai pas. Tu pourras au moins faire ça, non ? Tu ne crois pas qu'il aimerait avoir son père avec lui ?

— C'est ça, ton problème, Pauline. Tu penses à sa place, tu penses toujours à la place des autres. Il n'y fera même pas attention, arrête de vouloir que tout soit parfait. Je fais comme je peux.

Il secoue la tête, ouvre la bouche pour ajouter quelque chose, puis se ravise. Je me plonge dans la contemplation d'un dessin sur le mur pour ne pas lui dire au revoir.

Il vient de passer la porte quand Jules me rejoint, accompagné d'une infirmière. Il a les paupières piquées de rouge à force d'avoir pleuré. Elle m'explique qu'il a une fracture du poignet, très fréquente chez les enfants. Il sera plâtré durant six semaines et devra ensuite faire attention à son bras pendant trois mois, car il restera très fragile. Je l'écoute attentivement en me demandant combien de mètres de papier bulle il faudrait pour envelopper mon tout-petit dedans.

Chapitre 17

Les valises sont dans le coffre de la voiture, Mina est allongée sur le siège arrière, mon père coche les listes pendant que ma mère vérifie qu'il n'a rien oublié. C'est le grand départ pour les vacances familiales à Arcachon.

— Tu es sûre que ça ne t'ennuie pas qu'on te laisse seule ? insiste mon père.

— Arrête, Papa, je peux vivre un mois sans mes parents ! Je suis une grande fille, tu sais.

— Je sais, je sais, mais tu n'as jamais vécu seule. Quand est-ce que Ben prend Jules pour les vacances ?

— Demain.

— Ça va être difficile, tu serais mieux avec nous, non ?

— Laisse-la souffler, l'interrompt ma mère. T'es toujours sur son dos, faut pas s'étonner qu'elle soit comme ça avec le petit…

— Que je sois comment ?

— Tu sais bien… Bref, tu fais attention à bien fermer la maison quand tu pars, chaque été il y a des cambriolages dans le quartier. Et je t'ai laissé quelque chose sur la table de la cuisine, tu jetteras un œil. Où est Jules ?

J'appelle mon fils, qui déboule dans le jardin et reçoit sa dose de câlins pour les semaines à venir. Mon père fait une dernière tentative.

— C'est dommage que tu ne puisses pas venir, quand même...

— Je travaille, Papa.

— Tu pourras peut-être nous rejoindre un week-end ?

— Oui, on verra ! Passez de bonnes vacances !

Mes parents s'installent sur leur siège, la voiture démarre et passe le portail, puis s'éloigne. Plus elle devient petite, plus mon soulagement grandit. Mon père a raison, je n'ai jamais vécu seule, mais cela me semble moins insurmontable que de vivre avec mes parents.

Il paraît que, quand j'étais petite, j'étais toujours agrippée à ma mère. Elle m'appelait « la sangsue ». Je voulais me marier avec mon père et j'étais inconsolable quand j'ai appris qu'ils disparaîtraient un jour. Je leur écrivais des poèmes dans lesquels je leur promettais de ne jamais les quitter. Je n'étais pas destinée à être cette fille qui compte sur son agenda pour lui rappeler de prendre des nouvelles de ses parents. Aujourd'hui, ils font des efforts considérables pour que l'entente soit bonne. Mais on n'a jamais réparé les fractures en mettant de la pommade dessus.

Je regagne l'intérieur, Jules sur les talons.

— Allez, chéri, on va au bain !

Il s'interrompt net et croise les bras sur sa poitrine.

— Ah non, pas le bain ! Moi ze veux dessin animé !

— Jules, ne commence pas. C'est l'heure du bain, tu as déjà regardé deux épisodes de *Tchoupi* tout à l'heure, on va se laver et après on mangera. Allez, viens !

Il reste planté, la bouche exagérément boudeuse.

— T'es pas zontille. T'es plus mon copain !

Je me retiens de rire et le soulève dans mes bras pour l'emmener dans la salle de bains. Nous sommes en retard dans le planning du week-end. Je n'ai plus le temps de négocier.

En passant devant la cuisine pour rejoindre l'étage, je me souviens des mots de ma mère : « J'ai laissé quelque chose pour toi sur la table. » J'approche de ce qui ressemble à un livre pendant que le petit asticot se débat dans mes bras. C'est le catalogue d'une agence immobilière spécialisée dans les locations. Au cas où le message ne serait pas assez explicite, ma mère a collé un Post-it sur la couverture : « Ce serait bien que tu commences à chercher, au moins pour le petit. Bisou. Ta mère. »

28 octobre 2000

C'était le troisième appartement que nous avions visité. Le premier était déjà habité par des rats, et ils ne savaient manifestement pas se servir des toilettes. Le deuxième était plus propre, mais nous obligeait à faire un choix entre un lit et une table. Le troisième se trouvait près des boulevards, dans un immeuble récent avec ascenseur, interphone et kitchenette. Nous avions signé avec un stylo quatre couleurs et des étoiles dans les yeux.

Le jour de l'emménagement, il y avait plus de bras que de meubles. Mon père a monté le lit-mezzanine et des étagères, assisté de mon frère et ses biceps en cours de croissance, Nathalie s'est chargée de composer un pêle-mêle de photos sur le mur du salon, ta mère t'a demandé cent trente-huit fois si tu étais sûr de toi, c'était petit quand même, et loin de chez elle, Julie a aidé ton copain Stéphane à brancher la télé et la console de jeux, Laurène, Samira, Yannick et Fabien sont venus vérifier que la cafetière fonctionnait bien.

Nous avons tous fini autour d'une omelette sans sel et sans couverts, elle était dégueulasse, mais on s'en foutait, elle était faite dans notre *poêle, sur* nos *plaques électriques, dans* notre *cuisine.*

Ils sont partis avant la nuit, nous leur avons fait au revoir depuis le balcon, puis tu as fermé à clé et tu m'as lancé un regard que je connaissais bien.

— Tu sais la première chose qu'il faut faire quand on emménage dans un nouvel endroit ?

J'ai répondu non, mais je savais.

Nous avons donc étrenné le lit. Et puis le canapé, et puis la table, et puis la douche. On ne mégote pas avec les traditions.

Nous avons vidé les cartons et rempli les étagères : nos vêtements, le linge de maison donné par nos parents, tes voitures miniatures, mes livres, de la vaisselle dépareillée, nos CD, nos cassettes vidéo et nos DVD (des nouveautés), tous nos objets d'enfance qui nous accompagneraient dans notre vie d'adulte.

Il était plus de minuit lorsque le studio a commencé à ressembler à quelque chose. Nous étions éreintés, tous ces efforts, toutes ces émotions. Nous nous sommes préparés pour aller nous coucher, toi à droite, moi à gauche, première habitude de notre quotidien à deux, et nous grimpions vers notre lit dans le ciel quand j'ai eu une idée.

— On a oublié le plus important !

J'ai attrapé un stylo et un petit bout de carton et je t'ai entraîné dans le couloir de l'immeuble. Pieds nus, nous avons dévalé l'escalier froid en riant. Tu avais compris.

Devant la boîte aux lettres, j'ai pris le papier, j'y ai écrit nos noms, j'ai tracé un cœur juste à côté, et je l'ai glissé dans la petite fenêtre.

Pauline Marionnet
Benjamin Frémont

Nous avons remonté l'escalier en nous tenant la main, franchi cette porte que nous franchirions ensuite des milliers de fois et l'avons fermée à clé. Nous étions chez nous.

Chapitre 18

Le message pas subliminal de ma mère a eu un effet positif : il m'a poussée à prendre conscience d'une chose importante. Jules a besoin d'un environnement personnel dans lequel il se sente en confiance. J'ai donc entrepris de réaménager sa chambre, qui a gardé la décoration de l'époque où ma sœur y vivait. Si je prends un appartement et que Ben revient, ce serait une perturbation supplémentaire. Il a pris ses marques ici, nous irons vivre ailleurs à la fin de l'été si les choses n'ont pas évolué.

Ce matin, une fois Jules parti chez Ben, j'ai consulté les catalogues en ligne des magasins d'ameublement et de décoration. J'ai sélectionné ce qu'il me fallait, je suis allée chercher les élus et j'ai entrepris de tout changer.

Je pensais que ce serait facile. En réalité, je n'avais pas envisagé que monter un lit et accrocher quelques cadres attaquerait mon moral. Pourtant, c'est un combat de chaque seconde pour ne pas laisser les souvenirs de sa *vraie* chambre pénétrer mon cerveau par effraction.

Le premier lit de Jules, que nous avions choisi après avoir écumé des dizaines de boutiques de puériculture.

La première photo de nous trois accrochée au-dessus de sa commode. J'ai les cheveux collés et la tête de quelqu'un qui vient de se faire rouler dessus par un convoi exceptionnel, mais si je ne devais garder qu'une seule photo, ce serait celle-là.

Les minuscules bodys que nous avions rangés dans les tiroirs en nous disant que les créateurs s'étaient forcément trompés, un être humain ne pouvait pas être aussi petit.

La veste jaune que ma Nonna adorée lui avait tricotée, avec les moufles, le bonnet et les chaussons assortis.

La veilleuse qui avait éclairé ses premières nuits seul, le *babyphone* collé à notre oreille.

Je devrais m'y faire, c'est ainsi depuis l'instant où Ben m'a quittée : tout me le rappelle. Comme si l'univers s'était ligué contre moi pour me faire prendre la mesure de ce que j'ai perdu. Une odeur dans un magasin, un prénom dans un film, une chanson à la radio, une silhouette dans la rue. Il n'a jamais été aussi présent que depuis qu'il n'est plus là.

Le téléphone me sauve de la dépression. C'est Nathalie. Je rejette l'appel, comme à chaque fois. Elle m'a laissé des dizaines de messages et m'envoie régulièrement un SMS pour me dire qu'elle pense à moi.

J'ai connu Nathalie au lycée, nous avons fait nos études et pas mal de conneries ensemble, elle était témoin à mon mariage et moi au sien et nos deux hommes sont devenus inséparables. Parfois, j'ai envie de la voir, nous ferions comme avant, nous irions faire les boutiques rue Sainte-Catherine, nous achèterions une glace à l'italienne et nous finirions sur les marches de la place des Quinconces, à nous confier nos histoires de garçons. Mais si je lui réponds, si je lui raconte ce que je traverse, si je la vois seule, cela voudra dire que c'est vrai.

Le téléphone se remet à sonner. Encore Nath. Je rejette l'appel, la sonnerie retentit de nouveau. Il y a forcément une urgence. Je décroche.

— Allô ?

— Pauline ? C'est toi ?

— Oui, c'est moi. Tout va bien ?

— Mais on s'en fout de moi ! Comment tu vas, toi ? Je sais que tu aimes t'isoler quand tu vas mal, mais je me suis fait du souci !

— Je suis désolée. Il me fallait un peu de temps.

— Je sais, ma biche. Quand j'ai su que tu étais chez tes parents, j'ai compris que ça n'allait vraiment pas. Alors, comment tu t'en sors ? Tu tiens le choc ?

— J'ai pas trop envie d'en parler, si ça ne te…

— Non, non, je comprends ! Je t'appelais surtout pour avoir ta réponse. Tu as bien reçu l'invitation ?

— L'invitation ?

— Oui, à notre anniversaire de mariage ! Dix ans déjà, tu te rends compte ? C'est fou, j'ai l'impression que c'était hier… Bref, on a loué la même salle, il y aura les mêmes invités, avec quelques enfants en plus et quelques anciens en moins, et vu que ça approche, je voulais m'assurer que tu venais.

— C'est quand ?

— Vendredi prochain. T'as pas reçu l'invitation, donc ?

— Non, je n'ai rien reçu. Je suis désolée, Nath, je ne vais pas pouvoir venir. Je ne suis pas encore prête à revoir tout le monde… Et puis, je suppose qu'il sera là.

— C'était notre témoin aussi, on ne pouvait pas ne pas l'inviter. Mais on sera nombreux, tu ne seras pas obligée de lui parler ! Allez, ma Popo, viens, je n'envisage pas cette fête sans toi ! S'il te plaît, s'il te plaît, s'il te plaît !

— Je ne peux vraiment pas, je suis désolée. Je serai là pour vos vingt ans de mariage, je te promets.

Sa voix s'assombrit.

— Mouais. Tant pis. Je pensais que tu ferais un effort pour moi.

— T'es dure, Nath. Si t'étais à ma place, tu…

— J'imagine que tu souffres, je te comprends, mais ça fait cinq mois ! Tu comptes arrêter de vivre combien de temps ?

— Il faut que je te laisse, bonne journée.

— Pauline, att…

Je raccroche avant de me mettre à hurler. La prochaine fois, elle peut m'appeler mille fois, passer par la fenêtre ou m'envoyer un pigeon, je ne répondrai pas. Si c'est sa conception de l'amitié, elle peut la donner à quelqu'un d'autre. C'est vrai, quoi. Pour qui elle se prend, celle-là, pour me dire la vérité ?

18 février 2002

Nous avions joué la corvée des courses à chifoumi. Tes ciseaux s'étaient fracassés contre ma pierre. J'avais eu la victoire modeste, j'avais seulement dansé dans tout l'appartement en chantant « Décalecatan Décalecatan Ohé Ohé ».

Tu y es allé le soir en sortant du travail. Je t'avais fait une liste organisée par rayons, en suivant le trajet emprunté dans le magasin, les surgelés en dernier.

Il n'y avait qu'une quinzaine d'articles à acheter. Au bout de trois heures, j'allais signaler une disparition inquiétante quand tu es rentré, les mains chargées et un large sourire aux lèvres.

— J'ai un cadeau pour toi ! as-tu lancé en posant les sacs dans la cuisine.

Je t'ai rejoint en sautillant. J'adore les cadeaux, surtout quand ils me sont destinés.

— Tu le veux maintenant ?

— Oh oui ! J'ai été très sage !

Tu as fouillé dans un sac et m'as tendu une boîte rose et blanc. Je n'ai pas compris immédiatement. Il a fallu que je lise ce qui était inscrit dessus.

« Bandes de cire froide spéciale duvet visage. »

— Il y avait une promo, je me suis dit que ça te ferait plaisir.

Je t'ai regardé, les yeux écarquillés. Tu fournissais de gros efforts pour ne pas le montrer, mais tu n'avais jamais été aussi fier de toi.

Chapitre 19

Finalement, je n'aime pas vivre seule. Mes parents et Jules sont partis depuis quatre jours, je suis à *ça* de passer une annonce pour chercher un colocataire ou un cochon d'Inde.

C'est la première fois que je fais cette expérience. Dès que j'en ai eu les moyens, j'ai quitté la maison pour vivre avec Ben. J'avais vingt ans. Même à la maternité, il dormait avec moi. Je n'aurais jamais pensé que mes parents me manqueraient un jour. Il y a beaucoup trop de silence dans cette maison. Je préfère entendre les pensées des autres que les miennes.

J'ai beau quitter le travail plus tard et errer chaque soir dans les rayons du supermarché, il reste trop de temps à tuer. Quand j'ai dit à ma collègue Christine que je m'ennuyais, elle a ouvert les yeux et la bouche en grand en poussant des petits cris. J'ai cru qu'elle allait se transformer. Elle a appelé Nicole, du service compta, pour lui répéter ce que je venais de dire, et leur bouche s'est mise à rire, mais leurs yeux me regardaient de travers.

— Ha, ha, ha ! qu'est-ce que je donnerais pour m'ennuyer, moi aussi ! a ricané Christine.

— Et moi donc ! Je te prête mes quatre enfants et mon mari, si tu veux ! a renchéri Nicole.

Puis elles se sont calmées et ont dressé la liste des choses qu'elles feraient si elles avaient du temps. L'une d'elles semblait particulièrement les séduire : se « chouchouter ». J'ai donc décidé que ce serait mon programme de la soirée.

J'ai quitté l'agence à l'heure et je suis rentrée directement. La maison est fraîche malgré la canicule. J'enlève mes sandales et je lâche mes cheveux. Je fouine dans les CD de mon père, j'en insère un dans le lecteur et Barry White se met à chanter. Mes collègues ont raison : puisque j'ai du temps, je vais en prendre pour moi. J'ai toujours pris soin de moi : je tiens à avoir une apparence irréprochable. À défaut du physique.

Je ne suis pas jolie. Je l'ai compris très tôt : quand j'étais petite, les gens disaient que j'étais gentille. Ma sœur, on la trouvait belle. Ma bouche est trop fine, mes yeux sont trop rapprochés et j'ai un nez à trier des lentilles.

À l'adolescence, en plus de moche, je suis devenue grosse. Ma mère m'a mise au régime, elle disait que c'était pour moi, pour ma santé. C'était surtout pour elle, pour sa fierté. Une fille comme moi, c'était la honte. Je l'ai sentie s'éloigner de moi au fur et à mesure que les kilos s'installaient. Elle parlait de moins en moins, elle devenait cassante. Et puis, elle est partie. Un soir, en rentrant du lycée, j'ai trouvé un mot sur la table de la cuisine : « J'ai besoin de temps pour moi. Ne me cherchez pas. Je reviens vite. » Ce n'était pas signé, mais c'était son écriture. Papa a remplacé Maman par une bouteille, Romain a fait des terreurs nocturnes, Emma fixait la porte d'entrée chaque soir, et moi j'ai arrêté de manger.

Elle est revenue au bout de trois cent quarante-trois jours et vingt-quatre kilos. Il me restait la peau, les os et le nez. Elle a dit que je ne pouvais pas rester comme ça, elle a reproché à mon père de n'avoir pas vu mon état, mais c'était normal vu qu'il y voyait double. Ils m'ont enfermée dans une clinique, les docteurs m'ont étiquetée avec un mot qui rapporte beaucoup de points au Scrabble et ma mère a repris sa place pendant que je reprenais vie. Je n'ai plus jamais sauté de repas, mais je me pèse encore chaque matin pour m'assurer que personne ne m'abandonnera.

Pour ne pas effrayer les gens, je prends soin de moi. Je vais chez le coiffeur tous les mois, chez la manucure-pédicure toutes les deux semaines, je fais régulièrement des soins du visage, je vois le nutritionniste deux fois par an. Je ne sors jamais sans être maquillée, fond de teint, anticernes, poudre, blush, mascara, rouge à lèvres, mes ongles ont l'air de venir d'un présentoir, je lisse mes cheveux après chaque shampoing et je prévois tous les dimanches mes tenues de la semaine à venir. Ce sont des automatismes, je n'y prends pas de plaisir. Ce soir, je vais essayer de savourer.

J'allume une bougie à la vanille dans la salle de bains, j'applique un masque sur mon visage et mes cheveux en me concentrant sur l'instant présent, en ressentant ma peau, la douceur des caresses, la fraîcheur des produits. Puis je plonge dans un bain moussant avec très peu d'eau chaude. Le rafraîchissement est immédiat. Les yeux fermés, je laisse mes muscles se détendre et mon esprit ralentir. Ralentir. Ralentir.

Je suis en train de sombrer dans une bienfaisante torpeur lorsque l'alarme de mon téléphone sonne. Quelques secondes me sont nécessaires pour rassembler mes esprits. J'émerge instantanément. Nous sommes vendredi, il est bientôt 20 heures. Je devrais déjà être partie.

Chapitre 20

— Je savais que t'allais venir !

Nathalie m'étreint. Elle porte sa robe de mariée et le même bouquet qu'il y a dix ans.

— J'ai fait un régime, je ne rentrais plus dedans… Je suis tellement heureuse que tu sois là !

Je le serais sans doute aussi si je n'étais pas aussi anxieuse. Je garde le visage enfoui dans l'épaule de Nathalie, quelques secondes de répit avant d'affronter les autres. Tous nos amis sont là. Tous ceux qui nous ont connus comme « Pauline et Ben ». D'apparence, je suis toujours celle qu'ils connaissent. Je vais afficher mon plus grand sourire et prendre mon air naturel le plus élaboré pour ne pas laisser paraître celle qui n'a qu'une envie : aller se tapir sous sa couette.

— Maman ! Papa il dit que ze peux pas prendre du *zus de sampagne* ! Ze peux ?

Jules ouvre la porte et me tire à l'intérieur de la salle, direction le bar. Je le soulève et le serre dans mes bras, il se débat pour descendre. Bientôt une semaine que je me passe de lui et il ne me gratifie même pas d'un bisou. Je me tâte à accéder à sa requête et à lui servir une coupe.

— Non, chéri, le champagne c'est pour les grands.

— Moi, ze suis un grand !

— Tu es un grand garçon, mais pas assez grand pour boire du champagne. Tu veux un jus d'orange ?

— Et pourquoi c'est pour les grands ?

— Parce que c'est de l'alcool.

— Et pourquoi c'est de la colle ?

— Chéri, tu veux bien aller jouer avec Élise, Esteban et Ayna ? Maman doit dire bonjour à tout le monde.

— Et pourquoi tu dis bonzour ?

Je lève les yeux à la recherche d'une issue, ils tombent sur Ben, appuyé contre le mur, en pleine conversation avec deux amis des mariés. Il m'adresse un sourire fugace et poursuit. Voilà ce que je suis devenue pour lui : une vague connaissance à qui on accorde un demi-sourire de loin. Je me tourne vers Nathalie.

— Ze me demande si ze ne vais pas me mettre au zus de sampagne.

Elle éclate de rire et m'entraîne vers le buffet quand deux bras s'enroulent autour de mes épaules. Je me retourne, prête à asséner un uppercut. Manifestement, je suis détendue.

— Je suis tellement contente de te voir !

J'ai à peine le temps de voir les cheveux blonds de Julie qu'elle se jette à mon cou. Je referme mes bras sur elle et la serre. À l'abri sous ma couette, face à mon écran, je vis à New York, Downtown Abbey, Washington ou Winterfel, je suis avocate, femme au foyer désespérée ou mannequin, j'ai des colocataires sympas, un mari puissant ou des dragons. Mais rien ne vaut les câlins des amis.

— Alors, t'étais où ? Pourquoi tu répondais pas ? T'as maigri ! T'as vu ma nouvelle coupe ?

Julie m'assaille de questions. Je lui explique en quelques mots mon besoin de me mettre en boule et d'attendre que le temps fasse son œuvre, elle comprend, même si elle aurait eu une réaction légèrement moins mesurée.

— Si mon mec m'avait larguée comme ça, je lui aurais fait livrer son poids en merde, ça lui aurait appris la vie ! T'es sûre qu'il a pas quelqu'un ? Les mecs ne partent jamais s'ils n'ont personne, ils sont bien trop lâches.

J'ai connu Julie pendant mon BTS. Elle arrivait en retard aux cours qu'elle ne séchait pas, portait des pantalons en cuir et s'adressait aux profs et aux élèves avec arrogance, mais elle récoltait systématiquement les meilleures notes. Toute la classe la détestait. Moi, elle me fascinait. Elle assumait tout, elle s'assumait elle, tout l'inverse de moi. En passant de l'autre côté de son armure, j'ai découvert que nous n'étions pas si différentes. Elle avait perdu sa mère deux ans plus tôt, enfonçait deux doigts dans sa gorge après chaque repas et cachait une passion dévorante pour Lara Fabian. Il y a des points communs à côté desquels on ne peut pas passer.

Nathalie a mis du temps à l'accepter. Elle prétendait qu'elle n'aimait pas sa personnalité ; la vérité, c'est qu'elle n'aimait pas la menace qu'elle représentait. Je lui ai juré sur la tête de Drazic qu'elle conserverait sa place de meilleure amie, elle a immédiatement trouvé Julie beaucoup plus agréable. Cette promesse tient toujours, même si elles sont devenues proches : si j'ai l'outrecuidance de consacrer plus de temps à Julie qu'à elle, Madame boude. La trentenaire est une ado comme les autres.

Un verre à la main, nous nous installons toutes les trois dans le parc, sous la tonnelle. Chaque personne que je salue au passage m'offre un petit mot amical. Je pensais que leur compassion m'écorcherait, en réalité elle m'apaise. À travers la baie vitrée, je vois Jules se trémousser sur la piste avec d'autres enfants. Ben est toujours au même endroit, visiblement passionné par ce que lui raconte une petite brune mignonne dont le visage ne m'est pas inconnu. Je n'ai plus aucune légitimité, même pas celle d'être jalouse. Nathalie pose sa main sur ma cuisse.

— Alors, comme ça, tu vis chez tes parents ? T'as encore tué personne ?

— Non, ça va. Je m'attendais à pire, si j'avais eu le choix je serais allée ailleurs, mais étonnamment ça se passe plutôt bien. Mon père est aux petits soins, comme d'habitude, et ma mère fait de gros efforts.

— Tu veux dire qu'elle ne te fait aucune réflexion ?

— Là, tu fantasmes ! Je suis psychorigide, trop anxieuse avec mon fils, je devrais essayer de moins contrôler les choses, j'ai perdu trop de poids, bref, les trucs habituels. Mais, à part ça, nos relations sont plutôt bonnes.

— C'est clair que t'as vachement maigri ! confirme Julie. T'es canon !

— Les diététiciens sont des arnaqueurs. Pour maigrir, il suffit de divorcer. Bon, et toi, Nath, dix ans déjà ! Toujours le grand amour avec Marc ?

— Oh, il y a des hauts et des bas, mais je serais bien indélicate de m'en plaindre devant toi. Allez, il faut que j'aille voir les autres invités, à plus tard les filles !

Elle se lève et s'éloigne, suivie de sa longue traîne. Il y a dix ans, nous avions moins de rides, pas d'enfant, plus de légèreté. Nous avions la tête pleine de projets et l'attitude pleine de certitudes. Les projets ont été réalisés, les certitudes ont vacillé. On devrait nous prévenir que devenir adulte donne la gueule de bois.

— Et toi, Julie, toujours avec Karim ?

— Toujours, on vient de fêter notre première année ! Presque un record pour moi ! Il n'a pas pu venir, il est en déplacement pour le boulot. C'est la dernière fois, il a demandé à être affecté à un poste sédentaire. On…

Elle s'interrompt subitement.

— Vous quoi ?

— Non, rien.

— Qu'est-ce qu'il y a ?

— Non, mais je suis conne, je m'étais dit que je ne t'en parlerais pas, et voilà, bravo le veau, les deux pieds dans le plat.

— Pas me dire quoi ? T'es en couple avec Ben ?

— Ha, ha, très drôle ! Non, mais voilà… avec Karim, on a décidé d'emménager ensemble et d'avoir un bébé.

Je bois un coup de jus d'orange. Il me brûle la gorge.

— Oh, mais c'est super ! Pourquoi tu ne voulais pas me le dire ? Je suis tellement contente pour toi !

— Eh ben, tu sais, t'es dans une période difficile, j'ai pas envie d'étaler mon bonheur. Je suis sûre que ça va s'arranger entre toi et Ben. Vous êtes trop bien ensemble, il va forcément s'en rendre compte.

Les larmes me montent aux yeux. Disons que c'est encore un coup du jus d'orange. Julie tourne la tête vers la salle et fronce les sourcils.

— C'est qui, la meuf qui parle avec Ben ?

— Aucune idée. Sa tête me dit quelque chose, mais je ne sais pas qui c'est.

— C'est pas la belle-sœur de Nathalie ?

— La sœur de Marc ? Non, elle a treize ans…

— Ouais. Elle avait treize ans il y a dix ans.

Nos deux regards convergent vers la brune. Le visage s'est affiné, la silhouette s'est transformée et la poitrine est manifestement en plein œdème de Quincke, mais c'est bien la petite Lola qui chuchote à l'oreille de mon mari.

— Elle n'a pas école demain ? fait Julie pour me faire rire.

Je ne réponds pas. Le jus d'orange a définitivement séché mes cordes vocales.

— T'inquiète, j'ai toujours été meilleure pour détruire les couples que pour les réussir ! poursuit-elle en se levant.

Elle vide son verre d'un trait et retourne dans la salle. À travers la vitre, je la vois se diriger vers eux, faire la bise à Lola et passer son bras autour du cou de Ben. Il me jette un regard, je détourne le mien.

Une heure plus tard, j'ai pris des nouvelles des parents de Nathalie, discuté avec quelques invités, été draguée par un type qui devait être à l'école avec Toutankhamon, câliné Jules et tenu la robe de la mariée pendant qu'elle faisait ses besoins. Julie est restée avec Ben jusqu'à ce que Lola déguerpisse. Il n'est même pas minuit et je n'ai qu'une envie : rentrer. Nathalie doit s'en apercevoir, parce qu'elle se penche à mon oreille :

— Je sais que ça te coûte, c'est déjà énorme d'être venue. Si tu veux partir, je comprendrai.

Je hoche la tête en silence. Si je parle, je pleure. *Angels*, de Robbie Williams, retentit, c'est la chanson sur laquelle ils avaient ouvert le bal il y a dix ans. Nathalie m'enlace, me glisse un merci dans l'oreille et part rejoindre son mari. Les invités s'agglutinent autour de la piste. C'est le moment idéal pour m'éclipser.

J'embrasse Jules, qui se débat pour retourner à sa partie de cache-cache, je promets à Julie de répondre à ses appels et je quitte la fête, pressée de retrouver mes amis en seize-neuvième. Sur le parking, deux personnes fument, appuyées contre une voiture. Je les salue en passant à leur hauteur, ils se retournent et me souhaitent une bonne soirée. C'est Lola et Ben.

J'ai mal au ventre. Foutu jus d'orange.

9 août 2002

Nous passions la journée à Arcachon entre baignades et farniente. Nous pouvions discuter pendant des heures, de l'eau fraîche jusqu'au cou pendant que le soleil réglait l'air sur thermostat 8.

Le marchand de glaces nous a appris que la nuit des étoiles filantes avait lieu le soir même. Nous avons décidé de rester sur la plage pour attendre le spectacle. Nous avons improvisé un pique-nique et admiré le coucher du jour et le réveil de la nuit.

Allongés sur nos serviettes, nous scrutions le ciel noir dans l'espoir de surprendre un trait lumineux.

— Regarde, y en a une là-bas !

Je t'ai montré la direction, tu as ri.

— Quand ça clignote, c'est un avion.

— Gnagnagna.

Il était plus de minuit, je commençais à avoir froid et je ne supportais plus ce sable qui collait à ma peau. Quand nous avions entendu « nuit des étoiles filantes », nous nous étions attendus à les voir fendre la pénombre en nous laissant à peine le temps de tour-

ner les yeux pour voir la suivante. Là, la seule chose qui fendait le ciel, c'étaient des mouettes noctambules qui devaient bien se foutre de nous.

À 1 heure du matin, tu as voulu rentrer. J'en avais envie, mais j'étais persuadée qu'une étoile filante se montrerait juste après notre départ, juste pour nous narguer. Comme la machine au casino qui sonne le jackpot alors que tu viens de passer à celle d'à côté.

— On attend encore un peu, d'accord ?

Tu as grogné. Nous sommes restés.

En réalité, malgré ses inconvénients, j'appréciais ce moment. Ce n'était pas si fréquent que nous puissions passer du temps ensemble, à ne rien faire d'autre que discuter et partager nos silences. Pas de livre, pas de téléphone, pas d'ordinateur.

À 2 heures, nous avons décidé d'attendre encore dix minutes. Pas plus.

À 3 h 18, un éclair lumineux nous a sortis de la torpeur. Mon cerveau engourdi a commencé à émettre un vœu, avant de percuter qu'il ne s'agissait pas d'une étoile filante.

Une lampe torche nous a aveuglés.

— Gendarmerie nationale ! Il est interdit de dormir sur la plage, nous allons vous demander de dégager l'endroit.

Nous avons ramassé nos affaires et sommes partis sans demander notre reste. Même les étoiles ne filent pas aussi vite.

Chapitre 21

C'est bientôt l'heure de fermeture de l'agence lorsqu'un homme pousse la porte vitrée. Christine, ma collègue assistante, me lance un regard désespéré. Elle arrive tous les matins une minute en retard et part tous les soirs une minute en avance, c'est sa contribution à la rébellion contre le système qu'elle exècre. Si elle se retrouvait contrainte de rester au-delà de l'heure inscrite sur son contrat, elle serait capable de se tirer une agrafe dans la tête.

— Je m'en occupe. Bonjour, monsieur !

Christine me sourit avec reconnaissance tandis que l'homme se dirige vers mon bureau. Une petite cinquantaine, cheveux plaqués en arrière, chaussures cirées et costume démodé, le profil type du candidat qui n'a pas souvent croisé la chance, mais les met toutes de son côté. Je l'invite à s'asseoir et lui demande ce que je peux pour lui.

— Je cherche un emploi.

— Dans quel secteur ?

— N'importe. J'ai besoin de bosser vite, je prends tout ce que vous avez.

— On va remplir un dossier. Vous avez apporté un CV ?

Il ouvre une chemise en carton, en extirpe une feuille et me la tend. Manutentionnaire, agent de production, technicien de maintenance, le parcours est fourni, quoique disparate. Je m'apprête à lui demander plus d'informations quand un détail attire mon attention.

— Pourquoi vous n'avez pas mis votre nom ?

— C'est un CV anonyme, on m'a dit que je pouvais.

Son ton est à la limite de l'agressif.

— Tout à fait, vous avez le droit. Mais y a-t-il une raison particulière ?

— Oui. Je ne suis jamais pris au sérieux quand je mentionne mon nom. J'ai loupé plein de boulots à cause de ça.

Christine, qui s'apprêtait à quitter son poste, s'interrompt et fait mine de chercher quelque chose. J'essaie de percer le mystère.

— Ah ? Vous avez un nom à consonance étrangère ?

— Non. J'ai un nom à consonance de merde.

— Je ne pense pas qu'un nom de famille puisse vous nuire au niveau du recrutement. En tout cas, ici, nous n'en tiendrons pas compte. Je vais en avoir besoin pour constituer votre dossier. Votre nom de famille ?

— Latoppe. L, a, t, o, deux p, e.

Je hausse les épaules.

— Je ne vois pas en quoi votre nom est préjudiciable. Votre prénom ?

— René.

Je tape les informations sur le clavier en cherchant ce que son nom a de spécial. Latoppe René. René Latoppe. Oh putain.

Christine pose la main devant sa bouche pour retenir son rire. Si j'en juge par son teint, elle retient sa respiration aussi. Monsieur Latoppe me scrute, l'œil sévère. J'éclate de rire.

— Bien joué, j'ai failli me faire avoir. Mais c'est un peu gros, essayez un truc plus crédible la prochaine fois.

Il fronce les sourcils.

— Vous voyez, vous vous foutez de moi.

— Je crois que c'est plutôt le contraire. C'est quoi ? Un pari, une caméra cachée ?

Christine arrête de rire et reprend son sac, l'air contrarié. Elle vient de perdre trois minutes pour une blague ratée. Je me lève et fais le tour de mon bureau.

— Je ne veux pas vous mettre dehors, mais c'est l'heure de fermer l'agence.

L'homme reste assis, les mains posées sur les cuisses.

— Je suis sérieux, dit-il. C'est mon vrai nom, j'ai besoin de travailler.

— Vous avez une carte d'identité ? Un document qui le prouve ?

— Non, j'ai juste pris des CV…

— Ben voyons. Et votre adresse, c'est sous la terre, et votre qualité principale, c'est d'être mignon, mais gros, gros, gros ?

Christine glousse. Le client me lance un regard noir, se lève et quitte l'agence sans un mot. Je baisse le store tandis que ma collègue se faufile à l'extérieur.

— T'as bien joué, je crois qu'il m'aurait eue ! En tout cas, ça m'a bien fait rire. Allez, je file, j'ai mon cours de pilates. Bisous bisous !

Je referme la porte au moment où mon téléphone sonne. C'est mon frère qui m'envoie une photo d'une immense piscine dans laquelle barbotent joyeusement mes parents, mon neveu et mes nièces, ma sœur, mon beau-frère et l'une de mes grands-mères, tandis que la seconde est sur un transat à l'ombre. Au-dessus, il a écrit : « Il ne manque plus que toi, Popo ! »

Chapitre 22

Le docteur Pasquier assortit ses lunettes à ses chemises. Aujourd'hui, c'est total look vert, je m'attends à ce qu'il me propose un crédit. Il n'a pas le temps de me demander comment je vais que je m'épanche déjà.

— Mon patron m'a convoquée ce matin. Je suis en vacances forcées, je devais les prendre le mois prochain, mais il ne me laisse pas le choix. Il dit que j'ai besoin de me reposer.

— Il s'est passé quelque chose ?

— Oui, c'est à cause de René Latoppe.

Je vois le vide envahir son regard. Je suis sûre qu'il passe en revue les antidépresseurs les plus puissants à me prescrire.

— Un intérimaire est venu s'inscrire à l'agence, il s'appelait René Latoppe, mais je ne l'ai pas cru.

— Pour quelle raison ?

— Quoi ? Vous ne connaissez pas René Latoppe ?

Je me mets à fredonner, mais cela n'a visiblement aucun effet. Je l'envie de vivre dans un monde où cette chanson n'existe pas. Je reprends :

— Bref, j'ai cru qu'il me faisait une blague, ça l'a vexé et il est parti. Ce matin, il est revenu et il s'est plaint à mon patron. Il en a rajouté, il a dit que je l'avais traité de gros, j'ai eu beau lui présenter mes excuses, mon patron n'a rien voulu entendre.

— Il ne vous a pas renvoyée.

— Non, mais pas loin. Il m'a demandé de rentrer chez moi immédiatement et de revenir dans un mois. Il a avancé mes vacances et je n'ai pas eu mon mot à dire. Jules est chez son père tout le mois de juillet, qu'est-ce que je vais faire de mes journées ?

Il tapote le bureau avec son stylo, comme à chaque fois qu'il s'apprête à avoir une idée lumineuse.

— Pourquoi n'iriez-vous pas rejoindre votre famille ?

— Pardon ?

— Vous m'avez bien dit que votre famille était partie en vacances dans une grande maison ? Pourquoi ne pas aller les retrouver ?

— Vous voulez ma mort, en fait. Vous regrettez de m'avoir acceptée en thérapie, alors, pour vous débarrasser de moi, vous employez la méthode radicale, c'est ça ?

Il secoue la tête.

— Vous avez beaucoup de choses à régler avec les membres de votre famille. C'est le moment ou jamais. Ces vacances peuvent être le moyen de faire table rase du passé et de partir sur de nouvelles bases. Qu'en pensez-vous ?

— J'en pense que les gens ont raison. Les psys sont plus fous que leurs patients.

10 octobre 2002

La journée au travail avait été longue. Je l'avais passée à écouter ma collègue Christine parler de la nouvelle comptable, Nicole. Si j'en juge par ses propos, et sans vouloir m'avancer, elle ne l'appréciait pas des masses.

« Celle-là, il ne l'a pas recrutée pour ses diplômes… »

« Qu'elle ne me demande pas de l'aider, je ne suis pas chien guide d'aveugle. »

« Elle est maquillée à la truelle, on dirait Barbie Catin. »

Je n'avais qu'une hâte : rentrer chez nous. Mais tu avais besoin que je passe au supermarché t'acheter du jus d'orange et de la mousse à raser. Tu devais quitter le bureau tard, tu n'aurais pas le temps, j'étais adorable, tu me revaudrais ça.

J'aurais voulu filmer ta tête quand tu es rentré. J'ai gloussé pendant des jours rien qu'en y repensant.

La mousse à raser t'attendait sagement sur la table. Avec une crème pour lutter contre les odeurs de pied, un spray anti mauvaise haleine, une lotion pour lutter contre la calvitie et des préservatifs à effet retardant.

Chapitre 23

Je n'aurais jamais cru sonner à ce portail un jour. Toute mon enfance, j'ai rêvé de vivre dans cette maison. C'est elle qui figurait sur tous mes dessins, c'est dans son jardin que mon imagination me transportait souvent. Elle appartient désormais à Jérôme et à ma sœur, et je m'apprête à la visiter pour la première fois.

Jules insiste pour appuyer sur la sonnette, je le soulève et le laisse faire. Je n'ai prévenu personne de mon arrivée. Quand je suis rentrée chez mes parents, après le psy, j'ai été agressée par le silence. Tant qu'à être seule, autant l'être entourée.

— Pauline ? Eh, venez, Pauline est là !

Mon beau-frère ouvre pendant que tous les membres de ma famille accourent pour voir le miracle de leurs propres yeux. Mon frère me saute au cou, les autres font la queue pour nous embrasser.

— Ma chérie… me souffle ma grand-mère paternelle.

— Bonjour, Nonna.

Ses joues tendres s'écrasent contre les miennes et sa bouche fait claquer près de mes oreilles ce petit son qui me renvoie immédiatement en enfance. Sa présence à Arcachon est l'une des raisons qui m'ont décidée à venir. Il y a cinq ans, quand mon grand-père est mort, elle a rejoint sa fille à Strasbourg. Je l'ai aidée à emballer toutes ses affaires, à empaqueter tous mes souvenirs, je l'ai accompagnée à l'aéroport, je lui ai fait au revoir en souriant jusqu'à ce qu'elle ne puisse plus me voir et j'ai regardé son avion s'éloigner avec un morceau de mon cœur à l'intérieur. Puis j'ai regagné ma voiture et j'ai pleuré pendant trois heures.

— Tu as changé d'avis, alors ? s'enquiert mon père en m'entraînant vers l'entrée.

— Disons que j'ai pu avancer mes vacances. J'ai demandé à Ben si je pouvais emmener Jules, il a accepté, alors voilà. Il a ses vacances le mois prochain, ça l'arrange.

— Tu restes jusqu'à la fin ? interroge ma sœur.

— S'il y a de la place pour nous…

— Que personne ne songe à me faire céder ma chambre !

La voix vient du jardin, j'ai failli l'oublier. Je traverse l'immense salon, tout de blanc meublé, et j'arrive sur une terrasse en bois. Quelques secondes me sont nécessaires pour la localiser. Assise sur une chaise près de la baie vitrée, le menton fier, le chignon strict, ma grand-mère maternelle attend que je l'embrasse. Selon sa conception, c'est aux jeunes de saluer les anciens et aux arrivants de dire bonjour à ceux qui sont déjà présents. Je suis jeune et je viens d'arriver, elle n'allait tout de même pas se lever pour m'accueillir.

— Bonjour, Colombe, comment vas-tu ?

Quand je suis née, elle est devenue grand-mère. Il était inenvisageable que je le lui rappelle à chaque fois que je m'adressais à elle. Elle a donc instamment prié ma mère de m'interdire les « mamie », « grand-mère » et autres insultes. Si vraiment je tenais à l'affubler d'un surnom, Colombe lui siérait parfaitement. Un jour, j'ai cherché à connaître l'origine de son choix, elle m'a naturellement répondu que c'était plus élégant que Marcelle.

— Je me porte pour le mieux, répond-elle. Je sors de ma maison de vieux une fois par an, je suppose que la joie est de mise.

Ma mère hoquette.

— Maman, c'est une résidence pour personnes âgées, tu as ton appartement, tu es complètement autonome ! C'est toi qui as voulu y vivre quand tu as divorcé, tu aurais pu rester chez toi !

— J'imaginais naïvement que ma fille unique ne me laisserait pas aller au bout de ma démarche. Enfin, c'est ainsi. Pauline, ton fils ne vient pas me saluer ?

— Il est parti à l'étage avec Sydney, je vais le chercher.

Emma en profite pour me faire visiter sa nouvelle résidence secondaire. D'un bras, elle porte Nouméa, de l'autre, elle désigne les murs qu'elle a fait repeindre, enduire, cimenter, les carreaux qu'elle a fait venir d'Italie, les meubles qu'elle a fait fabriquer sur mesure, les rideaux qu'elle a cousus elle-même.

— Ça m'a pris un temps fou, mais j'adore le résultat ! C'est comme ça que j'imaginais l'intérieur quand on passait devant.

Moi, j'imaginais de la pierre, du plancher, des livres qui recouvrent les murs, des fauteuils moelleux, une cheminée et un chat qui ronronne, mais ma sœur a du goût. C'est lumineux, épuré et chaleureux.

— J'aime beaucoup.

— Merci. Je suis heureuse qu'elle nous appartienne, on pourra s'y réunir tous les ans !

Elle s'interrompt et me dévisage.

— Tu comptes inviter des gens à dormir ?

— Pardon ?

— Est-ce que tu penses faire venir du monde la nuit ?

— À part mes amis du club échangiste, tu veux dire ?

Elle écarquille les yeux et désigne Nouméa du regard.

— Très drôle. Bon, Jules va dormir avec Sydney et Nouméa et toi avec Romain. Viens, c'est la chambre « Sérénité », au fond du couloir. Tu vas voir, elle donne sur la jetée, c'est la plus belle vue !

Je pose mon sac au pied du lit et la remercie. Elle hausse les épaules et se dirige vers l'escalier.

— Allez, je te laisse t'installer, tu nous rejoins en bas ? C'est bientôt l'heure du dîner, il faut que je commence à le préparer.

Je regarde ma montre. Il est 15 heures.

Chapitre 24

Le petit déjeuner au soleil me rappelle nos vacances d'enfance, quand nous partions à Biarritz avec nos grands-parents, notre tante et nos cousins. Une grand-mère à chaque bout, les enfants sur les genoux, du lait, du café, du thé, du pain et des viennoiseries autour de la grande table en bois, et chacun se sert en planifiant la journée à venir.

— On pourrait faire une grosse salade de riz ce midi ? propose mon père.

— Très bonne idée ! s'exclame ma sœur. On prendra de la feta chez le fromager en revenant du footing, elle est délicieuse !

— D'accord. Qui vient courir aujourd'hui ?

— Moi ! dit mon frère. Popo, tu viens avec nous ?

Il me faut plusieurs secondes pour prendre conscience que ce fou furieux s'adresse à moi.

— Moi ? Courir ?

— Oui, on longe la plage sur la promenade, c'est génial ! Ça ne fait que cinq kilomètres.

— Grand bien vous fasse. Je dois m'occuper de Jules.

— Je peux gérer le petit ! intervient ma mère. Ça vous fera du bien à tous les deux de ne pas être collés. Pas vrai, mon chéri ?

Mon fils, cet être qui m'a fait vomir pendant trois mois et découvrir les mots « épisiotomie », « crevasses » et « hémorroïdes », acquiesce. C'est un complot.

Colombe, qui donnait l'impression d'être plongée dans la lecture du *Figaro*, éprouve également le besoin de donner son avis, sans lever les yeux de son journal.

— Cela ne lui sera que bénéfique, elle n'a que la peau sur les os.

— Je ne peux pas venir, je n'ai pas de tenue de sport.

— J'ai tout ce qu'il faut ! répond ma sœur. On fait la même taille et la même pointure, c'est réglé, tu viens avec nous. Il ne faut pas tarder, après il va faire trop chaud.

J'avale une dernière gorgée de thé et je hoche la tête. Après tout, ce sera l'occasion de prendre l'air. Je n'ai pas fait de sport depuis longtemps, mais j'ai une bonne condition physique. Je ne fume pas, je ne bois pas et je suis active. Au lycée, j'étais parmi les meilleurs en sprint. Il se peut que j'y prenne goût, et même que cela me fasse du bien.

Mon père court chaque jour depuis huit ans, mais il a la soixantaine. Mon frère est un sportif du dimanche, quand il n'a pas la gueule de bois. Quant à ma sœur, enfiler son survêtement est déjà un effort. Cela ne devrait pas être difficile de les suivre.

Mètre 0 : MO – TI – VÉE. Cinq kilomètres, je peux le faire.

Mètre 100 : J'ai déjà trouvé mon souffle, ma foulée est rapide, je suis à l'ombre des arbres, sur la promenade qui longe la plage. Le sable n'accueille encore que quelques lève-tôt, le soleil se reflète sur l'eau, les oiseaux chantent, c'est le bonheur.

Mètre 200 : Si j'avais su que courir serait aussi agréable, je m'y serais mise bien plus tôt. Je comprends pourquoi c'est le sport à la mode.

Mètre 300 : Mon père, mon frère et ma sœur sont à la traîne. Tant pis, je ne compte pas ralentir pour eux.

Mètre 400 : Je me demande si je ne suis pas la petite sœur cachée d'Usain Bolt.

Mètre 800 : À part une légère douleur dans la poitrine, tout va bien. C'est sans doute digestif. Usain Bolt ne doit pas manger de brioche avant de courir.

Mètre 900 : Ce serait trop demander aux arbres de ranger leurs racines ailleurs qu'en plein milieu du chemin ? Je dois lever les genoux à chaque fois, ça me fait perdre le rythme. C'est agaçant.

Mètre 1000 : C'est très con, un arbre, en fait.

Mètre 1200 : Peut-être que ce n'est pas du tout digestif, peut-être que je fais un infarctus et que tout le monde s'en fout.

Mètre 1300 : J'ai soif. Je pourrais boire de la crème hydratante.

Mètre 1600 : Mon père me double en me faisant coucou.

Mètre 1700 : Ça existe, l'infarctus du mollet ?

Mètre 1800 : Ma sœur me double en me souriant.

Mètre 1900 : Je vais mourir de soif. Dommage que mes aisselles soient si loin de ma bouche.

Mètre 2000 : En fait, je ne suis pas la fille cachée d'Usain Bolt, mais celle d'un paresseux.

Mètre 2100 : Mon frère me double en faisant le moonwalk.

Mètre 2200 : Mes jambes sont en train de se tétaniser. Ça va être pratique pour monter les escaliers.

Mètre 2400 : Je vais crever avant d'avoir goûté la délicieuse feta.

Mètre 2500 : Un jeune blond me double en marchant.

Mètre 2600 : Je n'arrive plus à respirer, je râle. On dirait un porno doublé par Dark Vador.

Mètre 2700 : Je vais tenir, j'ai fait plus de la moitié. J'arriverai les pieds devant, mais il ne sera pas dit que Pauline a abandonné.

Mètre 2800 : Une dame me double. Avec des cheveux à reflets mauves et un déambulateur.

Mètre 2900 : Alors que j'essaie de repasser devant elle, je ne vois pas la racine qui me barre le chemin. J'essaie de me rattraper au vent, peine perdue. Mon corps bascule et chute au ralenti, les bras ballants, le visage résigné. Un domino.

La joue contre le sol, le souffle court, le dos trempé, le cœur au galop, je prends la décision la plus importante de ma vie. Le sport et moi, c'est terminé.

Chapitre 25

Lorsque nous étions enfants, aller à la plage était une fête. Nous étions réveillés aux aurores, après une nuit à rêver à la journée qui nous attendait. Nous aidions mon père à préparer des sandwichs au pain de mie, remplissions la glacière et embarquions à bord de la Renault 5 pour une heure de route ponctuée de « On est bientôt arrivés ? ».

Nous nous installions toujours au même endroit, à mi-chemin entre la mer et les marches. Nous pouvions passer des heures à nous baigner, construire des châteaux éphémères, ramasser des coquillages, bronzer, lire à l'ombre du parasol, vivre des moments heureux sans nous rendre compte qu'ils l'étaient. Je ne sais pas à quel âge aller à la plage est devenu une corvée.

C'était toujours Ben qui insistait. Il aimait sentir le sable sous ses pieds, entrer dans l'eau fraîche, l'odeur de la crème solaire. Moi aussi, mais pas assez pour oublier les nombreux défauts. Le monde. Le bruit. Les petits grains dorés qui collent dans la voiture.

Jules en danger. Les coquillages dans le sac. Les affaires mouillées.

Ce matin, au petit déjeuner, Jules a dit :

— Maman, on va à la plaze ?

J'ai dit :

— Tu ne veux pas rester à la piscine, plutôt ?

Il a dit :

— Ze préfère la plaze.

J'ai dit :

— On verra, chéri.

Ma sœur a dit :

— La plage, c'est quand même mieux.

Ma mère a dit :

— Si Maman ne veut pas, Mamie t'y emmènera, Jules.

Colombe a dit :

— Pauvre enfant.

Je suis donc en train de sauter au-dessus des vagues avec mon fils. Sachant que celles d'Arcachon sont aussi grosses que celles d'une piscine, le ridicule de la situation est aisément imaginable.

Avec ses brassards, son protège-plâtre, sa casquette, son tee-shirt anti-UV et ses lunettes de soleil, on dirait qu'il s'apprête à partir en expédition sur la Lune. Et il s'en fout. Moi, je porte un maillot tendance, du maquillage waterproof, et je fais attention à ne pas me mouiller au-dessus des cuisses.

Lui, il rit. Un rire franc, sincère, qui vient de son ventre et s'éparpille dans la brise. C'est le plus joli son au monde. On devrait offrir des CD de rires d'enfants aux gens qui vont mal.

Une jeune femme et sa fille entrent en courant dans l'eau et m'éclaboussent. Elle est gelée. J'espère qu'il y a des requins. Jules s'allonge sur le sable mouillé. L'eau caresse ses jambes, puis se retire, avant de le recouvrir de nouveau. Il est hilare.

— Viens, Maman, viens !

— Que je vienne où ?

— Cousse-toi comme moi !

— Non merci, mon chéri. Maman préfère rester debout.

— Allez, viens, Maman ! C'est rigolo !

— Non non, je vais être pleine de sable.

La déception s'inscrit brièvement sur son visage, avant que les vagues ne viennent la lui faire oublier. Un peu plus loin, la mère pousse des cris de joie tandis que sa fille l'arrose. Elle porte un maillot trop grand pour elle, elle a les cheveux dans les yeux, mais c'est autre chose qui me frappe, comme une électrocution. Elle a l'air heureuse. Libre. Si on me demandait de choisir une famille pour y être adoptée, c'est la sienne que je choisirais. Pas celle de cette femme qui laisse son enfant jouer seul parce qu'elle a peur de son image.

Je m'assois à côté de Jules. Je vais avoir du sable dans la pochette intérieure du maillot.

— Tu veux jouer à quelque chose, mon chéri ?

Il se relève d'un bond, le visage lumineux.

— Oh oui ! On fait un sateau ?

— Un château ? Tu ne préfères pas nager ?

Il secoue la tête, se dirige vers le parasol, puis revient avec son seau, son râteau et sa pelle. Il semblerait que je n'aie pas le choix.

Vingt minutes plus tard, nous avons érigé une haute bâtisse pour faire face aux envahisseurs (les crabes). Enfin, je l'ai construite toute seule, sous la direction d'un petit maître d'œuvre tyrannique. Après avoir validé mes efforts, Jules les récompense en sautant à pieds joints dessus. En quelques secondes, il ne reste plus qu'un tas de sable et ma mine déconfite.

— Viens, Maman, on va baigner ! Et après on sersera les coquillazes ! Et après on manzera une glace ! Et après ze te mettrai du sable partout sur toi !

C'est le cheveu collé, la peau salée et la dune du Pilat dans la raie des fesses que je rentre à la maison, accompagnée d'un petit garçon exténué et heureux. C'est l'un des avantages à être séparé : on ne peut plus déléguer certaines choses à l'autre. Dans mon planning quotidien, j'essayais de caser la cuisine, la lessive, le bain, la vaisselle. Il restait peu de temps pour les bons moments. Ceux-là, c'était Ben qui s'en chargeait. Si je ne veux pas que la déception s'installe définitivement sur la bouille de ce petit bonhomme, peut-être que je vais devoir redéfinir mes priorités. Après avoir nettoyé le sable.

Mon frère me saute dessus dès que j'ai refermé la porte.

— Popo, il faut qu'on parle.

Derrière lui, ma sœur a les bras croisés et la même tête que le jour où son hamster avait plongé dans les toilettes. J'envoie Jules jouer avec sa cousine et je les suis dans la bibliothèque. Mon frère s'assure que personne ne nous a suivis, se tourne vers moi et m'annonce, la mine grave :

— Papa a replongé.

17 février 2003

— Alors, comment s'est passé ton entretien d'embauche ?

Tu venais de franchir la porte d'entrée dans ton costume bleu marine que nous avions mis des heures à choisir. Tu souriais, c'était plutôt bon signe.

— Super bien, je pense que ça va le faire !

Je t'ai sauté dans les bras.

— Oh, c'est génial ! On saura quand ?

— Je pense qu'ils vont me rappeler rapidement, c'est pour commencer la semaine prochaine.

— OK. Et donc tout s'est bien passé ?

Tes yeux brillaient de fierté.

— Oui, vraiment. J'ai répondu à toutes leurs questions, j'ai mis en avant mes compétences, j'ai même réussi à les faire rire !

— Ah bon ? C'est top !

— Ouais, à un moment ils m'ont demandé ma plus grande qualité, alors je leur ai dit que j'étais débrouillard, que j'étais capable de me sortir d'une situation difficile juste avec ma bite et mon couteau.

J'ai dégluti avec difficulté.

— Mon cœur, tu ne leur as pas exactement dit ça ? ai-je articulé.

— Ben si, pourquoi ?

— Tu n'as pas sérieusement parlé de ta bite dans un entretien d'embauche ?

— Je vois pas où est le problème, c'est une expression.

Eux ont dû le voir. Ils n'ont jamais rappelé.

Chapitre 26

Mon frère a l'air sûr de lui, mais je ne peux y croire. Mon père ne peut pas avoir replongé.

Lorsque j'étais petite, je ne savais pas que mon père était alcoolique. Pourtant, il buvait déjà quand ma mère l'a rencontré. C'était la fin des années 70, il avait la vingtaine et plein de copains avec lesquels il traînait son blouson noir dans les bals. Il disait que c'était pour faire la fête, il s'amusait plus avec quelques verres dans le nez. C'était son plaisir du samedi soir. Puis du vendredi. Puis du lundi, mardi, mercredi, jeudi.

Je déteste l'alcool. Il m'a volé mon père pendant des années, il lui a fait croire qu'il était plus fort, plus heureux, mais c'était tout le contraire. Il a saccagé notre innocence.

Je n'en ai jamais voulu à mon père. Il essayait de s'en sortir, il parvenait parfois à s'en passer durant des mois, mais l'ivresse revenait toujours le tenter. Et elle était plus forte que lui.

Quand il avait bu, il n'était pas violent. Mais cet homme qui allumait ses cigarettes à l'envers, qui riait trop fort et qui marchait en zigzaguant, ce n'était pas mon père. Il me faisait peur, il me faisait honte, il me faisait mal.

Son père en est mort, deux de ses frères aussi. Dans la famille de mon père, l'alcool, c'est une religion. Ça vous fait croire et ça vous accompagne jusqu'au cercueil.

Il y a huit ans, quand le médecin lui a annoncé qu'il avait un cancer de la vessie, il a compris qu'il n'était pas invincible. Du jour au lendemain, il a arrêté l'alcool, le tabac, et s'est mis à courir. Chaque jour qui passe est une victoire. Mais, à chaque fois que je l'entends bafouiller, que je vois ses yeux briller, que je l'aperçois s'entraver, j'ai peur que sa maîtresse soit revenue dans sa vie.

Je m'assois dans un fauteuil. Ma sœur m'imite. Elle est blême. Je me tourne vers mon frère.

— Pourquoi tu dis ça ?

— Parce que j'en suis sûr. Ça fait plusieurs fois que je le trouve bizarre, qu'il sursaute en me voyant approcher.

— Mais on l'aurait vu ! s'écrie Emma. On le détecte quand il est bourré !

— Pas forcément, je pense qu'il ne boit pas suffisamment pour qu'on le confonde. Vous n'avez pas vu qu'il disparaissait souvent ?

— Je viens d'arriver, je réponds. Hier après-midi, il est parti deux ou trois heures, mais c'était pour aller chercher un cadeau pour l'anniversaire de Milan.

— Je suis le seul à avoir remarqué qu'il est revenu sans cadeau ?

Je secoue la tête. Je suis devenue un radar à personnes saoules. Ma sœur intervient :

— C'est vrai que l'autre jour il est allé acheter des huîtres. Il est parti une bonne heure et, comme par hasard, il n'en a pas trouvé.

— Ah ! s'exclame Romain. Je vous le dis, j'en suis sûr !

Nous gardons le silence pendant plusieurs minutes. Je ne peux pas y croire. Pas cette fois, pas après dix ans. Il s'en est sorti, ce n'est pas possible. Je me lève en essayant de paraître sûre de moi.

— Il faut qu'on en ait le cœur net.

— Tu vas lui demander ?

— Non, j'ai peur de le vexer. Mais on va faire mieux : la prochaine fois qu'il part, on le suit. Comme ça, on sera rassurés.

Romain et Emma hochent la tête avec un manque flagrant de conviction. Je n'en déborde pas moi-même. Si on découvre que notre père a renoué avec la bouteille, la famille va exploser.

21 mars 2004

J'étais en train de ranger des dossiers lorsque tu m'as appelée à l'agence.

— Ce soir, je t'emmène au restaurant !

Tu venais de décrocher un CDI d'informaticien dans une chaîne de magasins de décoration, après plusieurs années à enchaîner les contrats temporaires. J'aurais pu croire que c'était ce que tu voulais fêter si tu ne m'avais pas demandé la veille la taille des bagues que j'enfilais à mon annulaire. Tu étais plus doué en langage HTML qu'en surprises.

*Toute la journée, je n'ai pensé qu'à ça. J'ai compté les heures qui nous séparaient de ce moment que j'avais attendu depuis longtemps. Tellement attendu que j'avais laissé traîner de gros indices dans l'appartement, presque par inadvertance : publicités pour des bagues de fiançailles, catalogue de robes de mariée, magazines aux noms évocateurs (*Marions-nous, Épouse-moi, Oui je le veux, Vivement la nuit de noces*). J'ai enfilé ma plus belle robe, je me suis maquillée et je me suis lavé les dents avec application.*

Il ne fallait pas qu'une mauvaise haleine s'incruste dans nos souvenirs de ce grand moment.

Tu m'attendais dans notre Clio délavée, le sourire crispé de celui qui a envie de sauter dans le vide, mais qui préférerait être dans son lit.

Tu m'as emmenée dans ce qui allait devenir notre restaurant, posé tout en haut de la dune du Pilat. Tu avais insisté pour obtenir une table en terrasse, malgré le froid, en souvenir de notre première soirée dans la voiture. Je t'en ai été reconnaissante : cela fournissait un bon prétexte à mes tremblements.

À chacun de tes sourires, à chacun de tes gestes, mon cœur faisait des cabrioles. C'était le moment où tu allais poser un genou à terre et sortir une bague pour me demander ma main.

À l'apéritif, j'étais impatiente.

Au plateau de fruits de mer, je ne tenais plus en place.

Au dessert, j'étais proche de l'attaque.

Quand ils ont apporté la note et que tu t'es levé pour partir, j'étais prête à rompre.

Je n'ai pas dit un mot du trajet retour, pour ne pas laisser paraître ma déception. Tu ne t'en es pas rendu compte, tu as parlé pour deux. « C'était une belle soirée ! » ; « Je suis vraiment heureux pour mon nouveau poste ! » ; « La vue était magnifique » ; « Les bulots étaient délicieux ». Blablabla. Bulot toi-même.

De retour chez nous, j'ai enlevé mon maquillage, mon push-up, mes talons, mes bas, ma robe, mes pinces à cheveux et mes rêves, je t'ai embrassé du bout des lèvres pincées et je me suis glissée dans le lit. J'étais en train de lire pour la soixantième fois la même phrase d'un livre quand tu m'as rejointe, en caleçon.

Tu t'es allongé sur le côté, face à moi, et tu m'as observée, un sourire en coin.

— Quoi ? j'ai bougonné.

— Je t'aime.

— Moi aussi je t'aime, mais pas ce soir.

Tu as ri.

— Ton caractère aussi, je l'aime.

J'ai grogné. Tu as poursuivi :

— J'aime toutes nos petites habitudes. J'ai toujours eu peur de la routine, mais avec toi je l'aime. J'aime me brosser les dents en même temps que toi, j'aime voir nos deux paires de chaussures côte à côte dans l'entrée, j'aime sentir tes pieds froids contre mes mollets la nuit, j'aime quand tu t'endors avant la fin du film, j'aime quand tu râles parce que les taies d'oreiller sont froissées, j'aime quand tu me caresses le dos avant de t'endormir, j'aime tous ces petits instants du quotidien avec toi. C'est pour ça que je crois que c'est ici, chez nous, moi en caleçon…

Tu as soulevé la couette pour vérifier ma tenue, puis tu as haussé les sourcils, avant de reprendre :

— C'est ici, donc, moi en caleçon et toi en duvet naturel, que je devais te le demander.

Tu as glissé ta main sous ton oreiller et en as sorti une petite boîte, que tu as ouverte face à moi. Je me suis redressée comme un strapontin. La bague brillait presque autant que tes yeux.

— Est-ce que tu veux ?

J'ai attendu la suite quelques secondes, puis j'ai compris que ta gorge était trop nouée pour lâcher ces mots qui comptent. J'aurais pu dire oui, j'aurais dû *dire oui, mais je rêvais tellement de l'entendre, cette phrase, que je ne t'ai été d'aucun secours.*

— Est-ce que je veux quoi ? ai-je articulé, à la limite de l'hystérie.

Tes yeux ont débordé, les miens aussi, je t'ai sauté dessus sans attendre la fin en criant « Oui, oui, oui ! ».

Peu importait la question. Avec toi, je le voulais.

Chapitre 27

— Tu vas mieux ?

Nonna prend de mes nouvelles pendant que je me sers un thé dans la cuisine.

— Mieux ?

— Tu sais, tu n'étais pas en forme depuis ta rupture avec Benjamin. Est-ce que ça va un peu mieux ?

Je ne me suis pas posé la question. Le fait d'être entourée, sans cesse sollicitée, et d'enchaîner les activités laisse peu de temps à la mélancolie pour s'installer.

— Ça dépend des moments, j'ai l'impression d'être sur des montagnes russes. J'essaie de gérer, mais j'espère encore que ça va s'arranger.

Ma grand-mère me fixe de ses yeux doux.

— Comment cela pourrait s'arranger ?

— S'il revient, tout rentrera dans l'ordre.

— Tu le penses vraiment ? C'est le seul moyen ?

— Je n'en vois pas d'autre.

Je fais tomber un sucre dans mon mug, je lui souris et quitte la cuisine avant qu'elle ne dise des choses que je n'ai pas envie d'entendre. Dehors, les enfants profitent de la piscine sous la surveillance de ma sœur et de mon père. Mon frère et mon beau-frère discutent économie et Colombe lit sur un transat. Ma mère s'est octroyé une matinée plage en solitaire, comme souvent.

— Allez, je vais courir ! lance mon père en se levant.

Mon frère l'imite.

— Je viens avec toi !

— Je vais passer par en haut, j'ai envie de me dépasser aujourd'hui. Ça va être trop dur pour toi, il vaut mieux que tu viennes demain.

— T'inquiète, j'ai de l'endurance ! réplique Romain.

— Je sais, je sais, mais je m'en voudrais que tu te blesses par ma faute. Vraiment, je préfère y aller seul.

J'ai insisté pour prendre la voiture. Le souvenir de mes exploits sportifs vibre encore dans mes cuisses. Nous attendons que mon père ait tourné à gauche à l'angle de la rue et je démarre. Contrairement à ce qu'il a annoncé, il n'emprunte pas la route du belvédère, mais suit la direction du centre-ville. Rapidement, il arrête de courir.

— Pourquoi il marche ? demande ma sœur.

— Peut-être qu'il est trop essoufflé, je réponds.

— Ou qu'il s'est fait mal quelque part, ajoute Romain.

L'espoir a beaucoup d'imagination.

Je le suis à bonne distance durant plusieurs minutes. Il ne reprend pas sa course, mais semble se balader dans les rues d'Arcachon. Je suis en train de me dire qu'il a peut-être simplement besoin de se retrouver un peu seul quand nos espoirs sont anéantis. Sans la moindre hésitation, mon père pousse la porte vitrée d'un commerce et pénètre à l'intérieur. Sur le mur blanc, en lettres rouges, il est écrit « Bar – Tabac – Brasserie ».

1er avril 2004

Je sortais juste de l'agence lorsque tu m'as appelée.

Tu m'as demandé si j'avais passé une bonne journée, je t'ai raconté, tu m'as confié deux ou trois anecdotes, et tu as ajouté :

— Au fait, j'ai eu ma mère au téléphone. Elle m'a dit qu'elle t'avait mal jugée, que tu étais une belle personne et qu'elle allait t'appeler pour recommencer sur de nouvelles bases.

J'ai peiné à trouver mes mots. Ta mère m'avait toujours considérée comme un nuisible qu'il fallait éradiquer. Si elle avait eu une tapette assez grande, elle m'aurait écrasée.

Durant tout le trajet jusque chez nous, j'ai pensé qu'il était possible qu'elle ait un cœur, j'ai envisagé que nous puissions avoir de bonnes relations.

Tu riais encore quand je suis rentrée. Je n'ai pas compris tout de suite. Il a fallu que tu reprennes ton souffle et que tu parviennes à articuler :

— C'était le meilleur poisson d'avril de tous les temps, pas vrai ?

Je n'ai pas voulu l'admettre, mais ça l'était.

Chapitre 28

Nous n'avons rien dit à mon père. Nous nous sommes mis d'accord avec Romain et Emma : si on le met mal à l'aise, il risque de se braquer et de nier, ce qui aura pour effet de l'isoler un peu plus. Nous aborderons le sujet en douceur quand le moment sera venu. En attendant, nous allons le surveiller pour qu'il s'abîme le moins possible.

Je suis en cuisine avec lui, officiellement pour l'aider à préparer le déjeuner. Aujourd'hui, on reçoit Marine, ma cousine, avec son mari tout neuf. Pour leur voyage de noces, ils ont entrepris de parcourir l'Europe en camping-car, et leur première étape est Arcachon.

Je ne l'ai pas vue depuis mon mariage, il y a plus de dix ans. Je me souviens d'elle enfant, quand nous partions en vacances avec nos parents à Biarritz, ou quand nous allions passer Noël chez eux à Strasbourg. Elle a dix ans de moins que moi, mais j'ai en mémoire une petite fille drôle et fonceuse avec laquelle j'aimais passer du temps. Vu qu'elle vient nous présenter son mari, il y a des chances que je la trouve légèrement plus agaçante.

— Ça va, Papa ?

Il lève la tête du poulet qu'il est en train de préparer.

— Ça va, ma puce, et toi ?

— Pas trop mal. Et toi ? Vraiment bien ?

Il fronce les sourcils et beurre le dos de la volaille.

— Oui oui, pourquoi tu me demandes ça ?

— Je sais pas, je te trouve un peu... fatigué.

— Ah bon ? Non non, vraiment, je me sens bien.

— D'accord, je te crois. C'est donc juste une coïncidence si tu viens d'enfoncer la salière dans le cul du poulet.

La sonnette du portail l'exempte de répondre. L'air de rien, il retire l'objet de la volaille et l'enfourne, avant de se diriger vers l'entrée pour accueillir sa nièce. Je vérifie sous le plan de travail et dans les placards si aucune bouteille n'est cachée et, soulagée, je les rejoins.

Marine n'a plus cinq ans. Elle en a vingt-cinq, ce qui, si je compte bien, signifie que je suis vieille. Son arrivée apporte un vent de fraîcheur dans la maison, même Colombe ne trouve aucune critique à faire. Après nous avoir tous embrassés, elle nous présente son mari, Greg.

— Et voilà notre fils Jean-Léon, ajoute-t-elle en désignant le bouledogue qui renifle Mina. Vous ne trouvez pas qu'il ressemble à son père ?

— L'enfant est un peu moins poilu, réplique mon frère.

Le poulet à la salière servi, Marine et Greg répondent aux nombreuses questions que la famille se pose.

Ils se sont rencontrés à Biarritz, dans la maison de retraite dans laquelle ils travaillent tous les deux. Elle est aide-soignante, lui animateur. Elle a longtemps cru qu'il était homo, mais il ne l'est pas du tout du tout du tout. Ils se sont mariés en petit comité, avec leurs parents, Nonna et leurs amis de Biarritz. Ils avaient un petit budget, alors ils ont choisi de passer voir leurs proches pendant leur road trip européen, cela permettait un moment privilégié avec chacun. Oui, elle est heureuse. Non, ils n'ont pas prévu d'avoir un bébé immédiatement. Oui, il lui arrive de laisser parler Greg. Mais il est timide, c'est pour ça.

Le timide la dévore des yeux et glousse à chacun de ses bons mots. Ben me regardait de la même manière. Mes copines me confiaient régulièrement leur jalousie : il avait dans les yeux un mélange d'amour, d'admiration et de désir qu'elles auraient aimé déceler dans ceux de leur homme. Je ne les détrompais pas, elles avaient raison : je le lisais aussi, cet amour dans son regard. Il était devenu tellement habituel que je n'ai pas remarqué quand il s'en est allé.

Milan, assis en face de Greg, le dévisage depuis le début du repas. L'adolescent semble plongé dans son moteur de recherche interne. Tout à coup, il tape sur la table et s'écrie :

— Ça y est ! Je sais où je t'ai déjà vu ! T'as joué dans *Plus belle la vie*, non ? C'était pas toi le prêtre amoureux de Mélanie ?

Le silence s'impose autour de la table. Greg lève le menton et acquiesce en souriant fièrement.

— C'est bien moi. C'était une toute petite apparition, c'est fou que tu t'en souviennes !

— Je suis complètement fan, je ne loupe pas un épisode ! Tu peux me faire un autographe ?

Pendant qu'il s'exécute, Marine se penche à son oreille et lui souffle :

— Heureusement qu'il ne t'a pas vu dans la pub…

La fin du repas se passe dans la bonne humeur. Ma mère sort un vieil album photo contenant des souvenirs sépia, on rit en se remémorant les douches au camping de Biarritz, les soirées Monopoly, les petits déjeuners sous les pins.

— Et vous vous souvenez de l'exploit de Pauline ? ne peut s'empêcher de lancer mon père.

— Je pense que personne n'a oublié, Papa…

— Elle devait avoir trois ans, elle avait disparu dans le camping. On la cherchait partout. Tout à coup, on a entendu des voix s'élever de la caravane d'à côté. Le voisin était furax et hurlait sur mon bébé, tout ça parce qu'elle avait fait des dessins sur sa voiture neuve…

— Il lui criait dessus pour ça ? s'étonne Greg. Il lui suffisait de la nettoyer !

— Ce qu'il a omis de préciser, intervient Nonna, c'est que lesdits dessins étaient gravés au caillou.

Marine et Greg éclatent de rire. Nonna secoue la tête.

— Ma petite-fille est une artiste incomprise.

— Et quand les filles faisaient semblant de parler anglais en inventant des mots ! s'esclaffe ma mère.

Je ris à ces souvenirs, je nous revois, avec ma sœur et ma cousine, patauger dans les vagues en parlant en yaourt, nous jeter dans la houle, secouer nos cheveux mouillés en chantant « Fraîcheur de vivre, Hollywood chewing-gum ». Et cette putain de petite voix qui vient tout gâcher en me murmurant que mon fils n'aura pas ces souvenirs-là. Parce qu'on ne part pas en vacances avec ses cousins. Parce que, sans son père, mon rêve de lui offrir un petit frère ou une petite sœur s'évanouit.

Chapitre 29

Marine et Greg ont préféré profiter de la piscine que de la plage. Je les aime de plus en plus.

Les enfants font la sieste, c'est le seul moment de la journée où nous pouvons nous baigner sans prendre de l'eau/un pied/un plâtre/de la morve dans le visage. Je suis accoudée au rebord, le corps qui flotte, quand ma cousine me rejoint.

— Alors, ça va ? chuchote-t-elle.

— Bien et toi ?

— J'ai appris, pour Ben. Je suis désolée.

Je crois que j'aurais préféré la morve.

— Merci, Marine.

— Tu espères encore ?

Je m'apprête à lui demander si elle a oublié son tact à Biarritz, mais son sourire me fait baisser les armes. Elle est spontanée, elle est directe, mais elle est dépourvue de cynisme. Je hoche la tête.

— Je te comprends, poursuit-elle. C'est pas facile d'avancer, j'ai connu ça avec mon ex, Guillaume. J'ai longtemps cru qu'il allait revenir, j'ai tout fait pour le récupérer, il a fallu que j'assiste à son mariage pour comprendre que ce petit bâtard m'avait vraiment oubliée. J'ai cru que j'arriverais jamais à passer à autre chose. Mais finalement, il m'a rendu un grand service.

— Ah bon ?

— Grave ! Grâce à ça, j'ai appris à mieux me connaître. Avant, j'avais jamais vécu seule et je croyais que j'en étais pas capable. Et puis surtout, s'il ne m'avait pas plaquée, je me serais jamais mise en couple avec Greg… Un con de perdu, un canon de retrouvé !

Je ris. Les retraités ne doivent pas s'ennuyer avec elle. Elle reprend son sérieux.

— Garde un peu d'espoir, si c'est ce qui te fait tenir. Peut-être qu'il va vraiment revenir, et tu seras contente de ne pas avoir fermé la porte. Et s'il revient pas, ça t'aura permis d'avancer, à force l'espoir va disparaître et tu iras mieux. J'ai un bon souvenir de lui, à votre mariage, mais tu mérites pas d'être malheureuse toute ta vie. Tu sais, je travaille avec des personnes âgées, et toutes me disent la même chose : la vie est courte, faut pas perdre de temps à lutter contre des choses auxquelles on ne peut rien. Si tu veux, j'ai quelqu'un à te présenter.

— Je ne suis pas du tout prête…

— Dommage. Tu me diras quand tu le seras, mais traîne pas trop. Il s'appelle Léon, il a quatre-vingts ans. Bon, il est un peu râleur, mais pas trop mal conservé.

Greg nous rejoint à la brasse et se met à rire en entendant sa femme.

— Faudrait qu'on parte d'ici une heure, dit-il, on a encore de la route ce soir !

— Vous ne restez pas ?

— Non, on doit être demain matin à Paris, on va voir Julia et Raphaël, un couple d'amis qui vient d'emménager ensemble. Ça passe trop vite, c'était chouette de te voir !

Marine pose sa tête sur mon épaule. Pour moi aussi, c'était chouette. Avec sa fraîcheur et son franc-parler, ma cousine de vingt-cinq ans m'a obligée à écouter ce que je refuse d'entendre depuis des mois. Peut-être que notre histoire est vraiment terminée.

Après le dîner, je traverse la route qui borde la maison et m'assois face à la mer. Le soleil s'est couché, quelques nuages roses colorent le ciel, des gens se baignent, d'autres profitent des dernières lueurs du jour pour lire sur la plage, beaucoup se dirigent vers les restaurants du front de mer. J'ai besoin de repenser à tout ça. L'espoir est mauvais conseiller, le désespoir aussi, pourtant ce sont les deux sentiments qui m'animent en ce moment. J'aimerais croire en Dieu, en la voyance, en moi. J'aimerais avoir des certitudes, savoir que, quoi qu'il arrive, ça va bien se passer. J'ai l'impression de ne plus rien maîtriser, que tout m'échappe. Mais, le pire, c'est que je me sens abandonnée. Comme quand ma mère est partie. Pourtant, j'ai compté mes calories.

Une voix dans le jardin attire mon attention. C'est celle de mon beau-frère, qui passe la moitié de ses journées au téléphone, l'autre moitié à se gargariser de ses réussites professionnelles. Quand ma sœur l'a rencontré, il y a six ans, il venait d'ouvrir sa première agence immobilière à Miami, pour les Français qui veulent s'installer aux États-Unis. Il vivait seul avec son fils Milan depuis la mort de sa femme. Ils se sont mariés au bout de six mois, elle était déjà enceinte de Sydney. Je ne le déteste pas, disons que j'espère qu'un jour il rencontrera un crocodile.

Il a baissé la voix. Il crie en chuchotant. J'essaie de continuer mon introspection, mais ma curiosité me rattrape. Je me lève et, l'air de rien, je traverse la route dans l'autre sens et m'approche du mur qui entoure la maison en tendant l'oreille.

Si je ne distingue pas tous les mots, une phrase me parvient clairement. Elle laisse peu de doutes quant à la personne qui l'a mis en colère.

— Camille, je te le dis une dernière fois : tu laisses ma famille tranquille, tu nous oublies, sinon tu vas le regretter.

23 avril 2005

Vous étiez tous à l'intérieur de la mairie quand je suis arrivée sur le parvis, entourée de Nathalie et Emma, mes deux témoins. Mon père m'attendait devant. Il semblait tout petit dans son costume trois-pièces, comme si l'émotion le rendait vulnérable. Je suis restée longtemps dans ses bras. Nous n'avons pas eu besoin de parler, nos silences disaient tout.

La musique a retenti. Nothing Else Matters, *de Metallica, version symphonique. Les filles ont rajusté mon voile et ma traîne. J'avais la panoplie complète de la parfaite mariée : le bustier, les chaussures blanches, le chignon et surtout l'essentiel : le trac.*

Mon père a passé son bras sous le mien, et nous sommes entrés dans la salle des mariages. Tout le monde était tourné vers nous et les applaudissements ont fusé. J'ai croisé le regard plein de bienveillance de Nonna, le chapeau rouge de ta mère, les yeux mouillés de la mienne, le chignon trois étages de Colombe, mais je n'ai vu que toi.

Tu étais debout devant le bureau du maire, face à moi, dans ton smoking que tu avais choisi avec ma mère. Tu me regardais avec une intensité qui a fait monter en moi une bouffée d'amour. C'était étrange, j'avais envie de rire et de pleurer en même temps. Heureusement que je me suis retenue, j'aurais eu une drôle de tête sur les photos.

J'ai marché jusqu'à toi, j'avais envie de courir. Mon père a glissé ma main dans la tienne, je m'y suis accrochée et, à cet instant précis, j'ai eu le sentiment d'être exactement à ma place.

J'écoutais vaguement ce que disait le maire, ça parlait de fidélité, de santé, de devoirs. Je ne te quittais pas des yeux. J'observais ta bouche, le contour de ton visage, ta légère fossette au menton, ton nez droit, tous ces traits que je connaissais par cœur, ce visage que je voyais chaque jour sans prendre conscience de la chance que cela représentait. Tous les jours, jusqu'à la fin de ma vie, je me réveillerais à tes côtés.

Tu as essuyé ma joue. Je n'avais pas réalisé que je pleurais.

Je n'avais jamais pleuré de bonheur.

Le maire a posé les feuillets qu'il lisait et nous a regardés.

— Mademoiselle Pauline Marionnet, consentez-vous à prendre pour époux Benjamin, Henri, Marius Frémont ?

Quelques rires se sont élevés à l'énoncé de tes prénoms.

— Oui !

— Monsieur Benjamin, Henri, Marius Frémont, consentez-vous à prendre pour épouse mademoiselle Pauline Marionnet ?

— Oui !

— Au nom de la loi, je vous déclare mari et femme ! Vous pouvez vous embrasser.

Tout le monde a applaudi, mais je n'entendais que mon cœur. Tu as pris mon visage entre tes mains et tu m'as embrassée. J'ai senti les larmes dégringoler sur mes joues.

Nous étions une famille.

Chapitre 30

— Je crois que Jérôme trompe Emma.

— Ça m'étonnerait pas.

Tous les soirs avec mon frère, nous faisons les commères en attendant le sommeil. C'est le seul avantage à partager le lit avec lui. Le menu des inconvénients, en revanche, est fourni : ronflements, dents qui grincent, gaz, coups de coude, coups de pied et autres joyeusetés.

— J'ai jamais pu le saquer, ajoute-t-il. Pourquoi tu penses qu'il la trompe ?

— Je l'ai entendu menacer une Camille au téléphone. Il avait l'air en colère. Ça me fait de la peine pour Emma…

— À mon avis, elle est au courant, il passe son temps au téléphone. Tu vas lui dire ?

— Ça va pas ? je m'écrie. Il ne faut jamais se mêler de ce genre de choses, ça se retourne toujours contre le messager.

— Moi, j'aimerais qu'on me le dise.

— Toi, oui. Mais Emma, elle a une vie parfaite, tu imagines si tout vole en éclats ? Je suis sûre qu'elle préfère ne pas savoir.

— De toute manière, il a une toute petite bite.

J'éclate de rire. Romain poursuit, très sérieux :

— Il a été prouvé que la taille du sexe était proportionnelle à la générosité. Moi, je suis très généreux.

— Je n'en doute pas. Et Thomas, comment il va ?

— Il remercie le ciel chaque soir.

Je mets la main devant ma bouche pour ne pas réveiller tout le monde. Il y avait longtemps que je n'avais pas autant ri. Romain sort du lit, ouvre la fenêtre et allume une cigarette.

— Et Papa alors ? demande-t-il en tirant dessus. T'y as réfléchi ?

— Oui, mais je ne sais pas quoi faire… Je ne le lâche pas, je fouille partout, mais rien. J'aimerais le prendre en flagrant délit, au moins il ne pourrait pas nier.

Il hoche la tête.

— Faudrait pas que Nonna s'en rende compte. Elle a perdu son mari et deux fils à cause de l'alcool, elle ne le supporterait pas.

— Maman non plus.

Nous restons silencieux quelques instants. Je sais à quoi pense mon frère, il sait à quoi je pense, mais nous n'en parlerons pas. Le départ de Maman, c'est tabou.

Il tire une taffe plus longue que les autres et dit, comme dans un souffle :

— T'es dure avec elle.

— Pardon ?

— Je sais que tu lui en veux, je sais qu'elle est relou à toujours te reprendre, mais elle est comme ça.

Elle est contente que tu vives chez elle, elle me l'a dit l'autre jour. Elle ne t'a presque pas vue depuis ton départ de la maison, ça doit être dur pour une mère. Elle fait de son mieux, tu sais.

— Et c'est ma faute ?

— J'ai pas dit ça, Popo. Je sais que c'est super difficile pour toi en ce moment, avec tout ce que tu as vécu. Mais faudrait pas que tu te venges sur les gens qui sont là pour toi…

— Pour une fois qu'elle est là pour moi ! Et puis bon, si ça veut dire me faire des réflexions dès que j'ouvre la bouche, je peux m'en passer, hein.

— C'est juste qu'elle est maladroite. Vous êtes très différentes, elle s'en fout de tout et toi t'es limite psychorigide. Je crois qu'elle essaie de te pousser à te lâcher un peu…

— Psychorigide ? Je suis psychorigide ?

— Bah un peu, tu sais bien. Je ne veux pas que tu le prennes mal, je ne veux pas te blesser, mais par exemple t'es toujours sur le dos de Jules. T'es hyper angoissée, tu veux qu'il mange toujours à la même heure, qu'il ne se salisse pas, c'est un enfant, il a besoin de plus de liberté !

— OK, t'as lu *Psychologie Magazine* et tu crois que ça te donne le droit de me faire la leçon, c'est ça ? Quand tu auras vécu tout ce que j'ai vécu, tu pourras l'ouvrir. En attendant, je voudrais bien dormir.

Je me tourne face au mur et je ferme les yeux, plus pour contenir mes larmes que pour réellement dormir. Avec ce que je viens de me prendre, le sommeil va être long à venir.

J'entends la fenêtre se fermer, je sens Romain se glisser dans les draps et me faire des chatouilles dans le dos. Je lui envoie un coup de pied dans le tibia et je souris en l'entendant crier de douleur. Au bout de quelques minutes de râles et de jurons, il éteint la lumière.

— Bonne nuit, sœurette.

— Bonne nuit, petit con.

28 mai 2006

Pour nos un an de mariage, Nathalie, notre témoin fayote, nous a offert une plante.

— C'est un ficus, a-t-elle déclaré. Il symbolise votre amour : il suffit de l'arroser une fois par semaine et de prendre soin de lui pour qu'il s'épanouisse.

C'est rapidement devenu un membre de la famille. Nous l'avons vêtu d'un joli pot argenté, posé sur notre table basse et appelé Marcel.

Nous avons pris notre tâche à cœur. Marcel se plaisait dans notre appartement. Nous lui parlions, le caressions, lui donnions à boire, il s'épanouissait de toutes ses feuilles.

Et puis, tout a basculé.

Marcel a rendu la sève au bout de sept semaines.

Impuissants, nous avons assisté à son agonie. Ses feuilles l'ont quitté petit à petit, il a perdu sa vigueur et fini par plier.

Nous nous sommes demandé ce que nous avions pu faire de mal. Comment avions-nous pu laisser mourir la représentation végétale de notre amour ?

— Je ne comprends pas, ai-je gémi, je prenais soin de l'arroser une fois par semaine…

Tu m'as lancé le regard du chat qui vient de tomber dans la baignoire.

— Quoi ?

— Je crois que je sais pourquoi Marcel est mort, as-tu annoncé.

— Pourquoi ?

— Parce que je l'arrosais aussi une fois par semaine.

Tu tenais tellement à notre ficus que tu avais enregistré une alarme sur ton téléphone pour ne pas oublier de l'arroser. De mon côté, j'étais persuadée que tu n'y penserais jamais. Notre plante était morte de trop d'attentions.

— Tu crois que ce sera pareil pour nous ? ai-je demandé. Tu crois qu'un jour on se sera tellement donné qu'on se lassera l'un de l'autre et que notre couple mourra ?

Tu as plongé tes yeux dans les miens.

— Si un jour je crois m'être lassé de toi, il faudra que tu fasses tout pour me ramener à la raison, parce que je me tromperai.

Chapitre 31

Il pleut depuis des heures. Les enfants sont devant un dessin animé, ma sœur et mon beau-frère dans leur chambre, ma mère est allée faire les boutiques et mon père a annoncé qu'il allait nettoyer la voiture, sans penser une seule seconde que nous trouverions suspect le fait de passer le Kärcher sous le déluge. Il ne restait que Nonna, Colombe, Milan, mon frère et moi.

Romain a proposé que nous jouions au baccalauréat. J'ai haussé les épaules en croyant à une blague, Colombe n'a pas réagi, Nonna a demandé ce que c'était, Milan a dit OK. Dix minutes. C'est le temps qu'il lui aura fallu pour convaincre tout le monde. Nous sommes donc tous les cinq autour de la table du salon, une feuille avec des colonnes et un stylo devant chacun.

Romain se charge d'énoncer les règles une dernière fois. Pour lui, les jeux sont tout ce qu'il y a de plus sérieux. Ce n'est pas un loisir, c'est une compétition. Malheur à celui qui triche, traîne, lui vole la première place. Une fois, il a jeté mon doudou dans les toilettes parce que je l'avais battu au jeu des sept familles.

— Donc, il y a sept colonnes : prénom, profession, animal, sport, célébrité, objet et titre. On doit remplir chaque colonne avec un mot commençant par la lettre tirée au sort. Le premier qui a terminé met fin à la partie, ensuite on compte les points : un point par bonne réponse, deux points si personne d'autre n'a la même réponse. Tout le monde a compris ?

Tout le monde hoche la tête, avec plus ou moins de conviction. Quelle idée.

On commence par la lettre R. Facile. Je remplis les colonnes rapidement, mais je n'ai pas le temps d'arriver au bout que Milan annonce qu'il a terminé.

— On va vérifier les réponses, annonce Romain. Prénom ?

— Colombe.

— Non, Colombe, quel prénom tu as mis dans la colonne ?

— Eh bien, je viens de le dire, j'ai écrit Colombe.

Milan rit. Je me retiens. Nonna lève les yeux au ciel :

— Elle n'a pas compris les règles !

— J'ai tout à fait compris les règles, madame Je-sais-tout. On me demande d'écrire mon prénom, j'écris mon prénom.

Mon frère secoue la tête et collecte les réponses des autres. Robert, Rose, Romuald, Robert, on est bon.

— On continue avec la profession. Milan, tu as mis quoi ?

— Routier.

— Pauline ?

— Représentant.
— Colombe ?
— Sans.
— Sans quoi ?
— Sans profession. Je ne travaille pas.

J'essaie de me contenir, mais entre le visage innocent de Nonna, l'air hautain de Colombe et la veine qui traverse le front de mon frère, je ne suis pas loin de craquer.

— D'accord, poursuit Romain en essayant de garder son calme. Au moins, pour le prochain, tu n'as pas pu tomber à côté. Animal ?

— Raie, répond Milan en pouffant.

— Raton laveur, propose Nonna avant de se tourner vers Colombe pour guetter sa réponse.

— Renard.

Mon frère reprend vie :

— Ah, là c'est parfait ! Bravo Colombe, tu as deux points.

Elle hausse les sourcils et lance un regard entendu à Nonna. Elle ne le dit pas, mais j'entends distinctement « Bisque bisque rage ».

Romain enchaîne :

— On passe au sport. Nonna ?
— Je n'ai pas eu le temps de répondre.
— Ah zut ! Pauline ?
— Rugby.
— Bien. Colombe ?
— Gymnastique.

Romain vire au bordeaux.

— Tu te fous de moi ?

— Pardon, jeune homme ? s'offusque ma grand-mère.

Si Nonna pouvait, elle ferait des rondades. Milan se fait tout petit. Mon frère inspire longuement.

— Pourquoi tu as mis « gymnastique » ?

— Parce qu'on me demande de mettre le sport, et c'est précisément le sport que je pratique dans mon mouroir.

— Mais ça ne commence pas par R !

— Et cela me donne l'autorisation de mentir ?

Romain se passe la main sur le visage.

— Mais tu as bien répondu pour l'animal !

Elle le dévisage comme si elle venait de le trouver dans le caniveau.

— Il m'était demandé de donner mon animal préféré, par conséquent j'ai répondu le renard. Tu es vraiment un garçon étrange… Bon, vous m'avez épuisée, je vous laisse à vos enfantillages.

Elle se lève et sort de la pièce, sous le regard abattu de Romain. L'expression « au bout du rouleau » n'a jamais eu plus fidèle illustration. Nonna pose la main sur son avant-bras, sa manière presque discrète de lui signifier qu'elle serait toujours là, elle.

Il vient de proposer de faire un Trivial Poursuit, à la place, quand mon téléphone me sauve du guet-apens.

C'est Nathalie, et elle a une grande nouvelle :

— Samedi, pour mes trente-cinq ans, j'embarque Julie et on vient passer la soirée avec toi. Prépare-toi, on va s'éclater jusqu'au bout de la nuit !

Chapitre 32

Je ne pensais pas que les vacances me feraient autant de bien. Au fil des jours ici, je réapprends à apprivoiser l'ennui, à apprécier l'oisiveté. Je n'en suis pas à passer des heures allongée sur le transat, mais il m'arrive de ne pas planifier toute ma journée, de me glisser dans le lit sans série dans laquelle plonger, ou d'aller aux toilettes sans magazine. Mon esprit est moins embrumé et je suis plus reposée, c'est indéniable, mais libérer de l'espace de cerveau comporte aussi des inconvénients : il y a maintenant assez de place pour accueillir la nostalgie et les regrets.

Je pense à Ben tout le temps. Le fait de lui écrire un souvenir par jour n'y est sans doute pas étranger, mais je me demande parfois si ce n'est pas aussi un mécanisme de défense face à la résignation qui tente de s'imposer. Comme si j'étais déchirée entre la part de moi qui sait qu'elle doit lui dire adieu, et l'autre qui s'y refuse. J'ai un regain d'amour pour lui, plus fort que ce qu'il n'a jamais été. Un peu comme le dernier sursaut de vie des mourants.

Il ne me reste qu'une dizaine de jours pour lui rappeler notre amour. La fin des vacances sonnera la fin des lettres. En les écrivant, je mesure à quel point notre histoire est précieuse, à quel point elle est forte. Ce n'est pas pour réaliser un rêve de petite fille que j'ai choisi de m'unir à lui pour la vie. Ce n'est pas par fierté que je veux qu'il revienne. C'est parce que c'est lui, parce que je suis plus heureuse quand il est à mes côtés, parce que j'aime ses qualités autant que ses défauts, parce que je fonds en reconnaissant son regard dans celui de notre enfant, parce que sa peau me fait frissonner, parce que sa voix m'apaise, parce que je n'ai jamais autant ri avec personne, parce qu'il sait tout de moi, mes forces, mes failles et mes angoisses, et qu'il m'aime comme je suis, parce que c'est ma main dans la sienne que je veux traverser cette existence.

Je ne peux pas l'obliger à m'aimer encore. Je ne peux pas le forcer à revenir. Je ne peux pas l'attacher dans un placard pour qu'il reste à mes côtés, quoique je l'aie déjà envisagé. Je me sens impuissante, mais ce n'est pas le plus douloureux. Le pire, c'est que s'il reste sur sa décision, si vraiment c'est fini nous deux, alors je sais que, pour le restant de mes jours, je me demanderai ce que j'aurais pu faire pour que cela n'arrive pas, j'imaginerai comment ça aurait été, s'il était resté, et, surtout, je me sentirai incomplète.

Je m'assois sur le banc face à la mer et je me mets à écrire. C'est tout ce que je peux faire. J'espère que ce sera suffisant.

5 octobre 2006

Je n'éprouvais pas une affection débordante pour ta collègue Laure. Je ne la détestais pas, disons que je l'appréciais autant qu'un bouton sur le menton. Quand elle est tombée en panne de voiture et que tu as dû passer la chercher tous les matins et la ramener tous les soirs, je l'aurais bien aspergée de Biactol.

Tu n'arrêtais pas de parler d'elle.

« Tu sais ce que m'a raconté Laure ? »

« Laure avait des chaussures sympas aujourd'hui ! »

« Pourquoi tu n'irais pas voir l'ostéo de Laure ? »

« On a eu un fou rire avec Laure. »

Je crois que, si tu t'étais retrouvé par inadvertance en levrette avec Laure, tu me l'aurais raconté.

Un jour, nous l'avions croisée dans un magasin. J'avais regretté qu'ils ne vendent pas de cagoules tellement je m'étais sentie insignifiante à côté d'elle. Belle, drôle, sympa, les fées qui se penchent sur les berceaux ne sont pas douées en répartition des richesses.

Parfois, la nuit, son prénom tournait dans ma tête.

Laure.

L'or.

L'autre.

Je ne t'en parlais pas. Finalement, cela ne te concernait pas, c'était un problème entre moi et moi. Je devais gérer ma jalousie. J'essayais de me rassurer : si tu avais des sentiments pour elle, tu ne m'en parlerais pas autant.

Jusqu'au jour où ton téléphone a vibré pendant que tu étais sous la douche. L'écran s'est allumé, nouveau message. Ma jalousie a fait un bras de fer avec ma conscience. Elle a gagné.

C'était Laure.

« Tu dois lui dire ce soir. Je pense fort à toi. Grosses bises. »

J'ai lâché le téléphone, il me brûlait.

Je n'ai pas pu attendre que tu me dises. Je t'ai rejoint dans la salle de bains et je t'ai hurlé dessus des mots qui ne sont pas dans le dictionnaire. Tu me regardais comme si j'avais coupé l'eau froide.

— Qu'est-ce qui t'arrive ? as-tu bredouillé.

— T'as rien à me dire ?

Tu as baissé la tête.

— J'allais te le dire ce soir. Je te promets de retrouver du boulot dès la fin de mon préavis. J'appréhendais ta réaction, mais je ne pensais pas qu'elle serait aussi violente…

Tu as compris à mon regard que nous ne parlions pas de la même chose.

J'ai été obligée de m'expliquer.

J'ai vu la déception passer dans tes yeux. J'aurais préféré la colère.

Tu n'as pas lâché un mot de la soirée malgré mes multiples tentatives. Tu n'as pas ri quand j'ai fait un moonwalk *avec le plat de gratin entre les mains. Tu es parti te coucher sitôt le dîner terminé. Tu as dormi tellement loin de moi que tu avais la moitié du corps dans le vide.*

Le lendemain matin, tu es parti travailler sans un regard.

J'ai culpabilisé toute la journée. Il nous arrivait de nous disputer, mais jamais je n'avais eu cette impression d'avoir cassé quelque chose. Il fallait que je me fasse pardonner.

Tu es rentré tard. Comme chaque soir, ta première étape a été les toilettes. Tu y es resté un moment. Tu devais vraiment m'en vouloir.

Je tendais l'oreille. Mon cœur s'est emballé quand je t'ai entendu tirer sur le rouleau. Plusieurs minutes se sont écoulées, sans un bruit.

Tu souriais en sortant. Je me suis jetée dans tes bras.

J'avais passé deux heures à écrire « Pardon » sur chaque feuille du rouleau de papier-toilette, tu avais certainement le mot encré sur les fesses, mais tu m'aimais encore.

Chapitre 33

La piste de danse est pleine. La dernière fois que je suis allée en boîte, j'avais encore de l'acné. Après le restaurant et le pub, où nous avons passé la soirée à discuter comme si nous ne nous étions jamais perdues, Nathalie a absolument voulu que nous revivions les émotions de nos nuits étudiantes. Avec Julie, nous avons tenté de résister, mais la déception s'inscrivait sur son visage. Alors nous voilà, toutes les trois assises sur des banquettes usées, un verre à la main, entourées de jeunes qui se trémoussent sur des chansons que je n'ai jamais entendues. J'ai l'impression d'avoir cent dix ans.

— On va danser ? propose Julie assez fort pour couvrir la musique.

Je fais comme si je n'avais pas entendu, subitement hypnotisée par un point fixe entre mes chaussures. Nathalie saute sur ses pieds et me tire par la main.

— Allez, viens, j'adore cette chanson !

Je regrette de ne pas savoir m'évanouir sur commande. Je les suis jusqu'à la piste avec l'entrain d'une algue dans un aquarium.

Il me faut à peine quelques secondes pour réaliser que je ne sais plus danser. Pas que j'aie spécialement brillé par mon déhanché par le passé, mais je parvenais à faire illusion grâce à un pas simple piqué à ma copine de lycée Nadia et répété face au miroir durant des heures. Là, entourée de clones de Beyoncé et de Justin Timberlake, je ressemble à un culbuto.

Nathalie et Julie donnent tout ce qu'elles ont. Mains en l'air, sautillements, jetés de chevelure, elles ont retrouvé leurs vingt ans. Pour très exactement sept minutes et quarante-six secondes.

— J'en peux plus ! lance Nathalie la première.

Julie se contente de hocher la tête. Elle est rouge comme si elle venait de traverser les Alpes à cloche-pied.

Nous retrouvons nos fauteuils, nos verres et nos souffles. À la table voisine, un groupe de trois filles et cinq hommes s'est installé.

— Ça fait du bien de voir des gens de notre âge ! dit Nath. J'ai l'impression d'être une cougar au milieu de tous ces gamins.

— D'ailleurs, y en a un qui est pas mal du tout… répond Julie en désignant un grand brun avec un tee-shirt blanc. Je danserais bien un soixante-neuf avec lui.

Nathalie écarquille les yeux.

— Mais ça va pas ? Et Karim alors ?

Julie hausse les épaules.

— Je ne vous l'ai pas dit pour ne pas casser l'ambiance, mais c'est fini. On a visité un appartement pour s'installer ensemble et ça m'a fait comme un électrochoc. Je ne suis pas prête à m'engager avec lui.

— Mais il était bien ! regrette Nathalie.

— Oh, il l'est toujours, mais pas pour moi ! Je suis mieux toute seule. Je vais chercher à boire, quelqu'un veut autre chose ?

À 2 heures du matin, malgré les basses qui font vibrer mon cerveau, je pique du nez. Les filles sont retournées danser, ma dignité n'en a pas eu le courage. J'aperçois Morphée quand une voix masculine me fait sursauter.

— Salut !

Le brun au tee-shirt blanc est assis à mes côtés et m'observe en souriant. Je passe la main sur ma bouche pour m'assurer qu'aucun filet de bave ne s'en est échappé et je lui réponds :

— Bonsoir. Je peux vous aider ?

— Peut-être. Vous avez un plan pour qu'on s'évade d'ici ?

Sans doute aidée par la fatigue, je glousse.

— J'ai été traîné de force par ma sœur et ses copains. Je crois que je préférerais assister à une conférence sur l'élevage des escargots en Patagonie.

Cette fois, je ris franchement. Je me tourne vers la piste pour faire signe à Julie de venir le voir de plus près. Elle est en plein échange d'ADN avec un autre brun.

— Je m'appelle Maxime, et toi ?

— Pauline. Enchantée.

— Tu bois quelque chose ?

J'avise mon verre vide.

— Je veux bien un jus d'orange, s'il te plaît.

— Whaou ! Tu aimes le risque, dit-il en se levant. Une vraie punk !

À son retour, Julie a toujours la langue occupée et Nathalie danse comme si sa vie en dépendait.

— On va dehors ? propose-t-il. Je vais bientôt être aphone à force de crier.

Il ne me faut pas longtemps pour accepter. Je meurs de chaud et la musique me fait tourner la tête. Je passe prévenir Nathalie, qui me fait promettre de ne pas m'éloigner et de crier fort si j'ai le moindre problème, puis je retrouve Maxime devant la boîte.

Quand les filles nous rejoignent, nous sommes assis sur le muret qui longe la plage, à nous raconter nos vies. Je me demande pourquoi j'ai pris un psy, je suis bien plus loquace avec le premier venu qu'avec un professionnel. Peut-être est-ce la fatigue, ou le fait de savoir que je ne le reverrai jamais, mais je ne me suis jamais autant confiée à quelqu'un. Même pas à moi-même.

Je connais Maxime depuis deux heures et il pourrait écrire ma biographie. Il sait comment j'ai rencontré Ben, comment il m'a quittée, la taille et le poids de Jules, la décoration de ma chambre, mes relations avec ma mère, la maladie de mon père, l'homosexualité pas vraiment assumée de mon frère, mon goût pour le repassage, oui oui, même les chaussettes, les prénoms des enfants de ma sœur. Il n'est pas en reste et se livre facilement.

Maxime a trente-sept ans, il vit à Nantes où il est prothésiste dentaire. Il en a profité pour me glisser que j'avais de très belles dents. Je ne lui ai pas avoué que je les lavais quatre fois par jour. Il est séparé depuis trois ans, il a une fille de six ans dont il a la garde. Il est passionné de voyages et de cuisine, il fait de la moto dès qu'il le peut. Sa fille est en vacances chez sa mère, alors sa sœur, qui vit ici, l'a invité à passer des vacances pour lui changer les idées.

— Bonsoir, jeune homme ! lance Julie en souriant comme une Miss France.

Elle lui fait la bise et s'accroche à son bras.

— Elle est bourrée, précise Nathalie à toutes fins utiles. J'ai bien fait de prévoir une chambre d'hôtel. On va se coucher ?

— Oh oui, on va se coucher ? minaude Julie à l'intention de Maxime.

— J'aurais adoré, mais je n'ai jamais fait l'amour, alors pour ma première fois j'aimerais que ce soit exceptionnel.

Julie perd son sourire. Elle ferait la même tête si elle mangeait des vers à « Koh-Lanta ».

— Allez, bonne nuit ! lance-t-elle avant de s'éloigner en essayant de marcher droit, suivie par Nathalie.

Maxime me fait un clin d'œil. Je me lève.

— J'ai passé une bonne soirée, merci beaucoup !

— Merci à toi, répond-il, c'était bien pour moi aussi. Je peux te demander ton numéro ?

Je réfléchis trois secondes, secoue la tête et m'enfuis en courant vers mes amies.

5 juillet 2007

Tu as compris dès que je suis rentrée. Tu m'avais appelée plusieurs fois, je n'avais pas eu le courage de te répondre. J'étais incapable de prononcer le mot avec lequel le médecin venait de marquer mon père. Je ne voulais pas qu'il existe dans ma bouche, qu'il ait une sonorité, un accent. Je ne voulais pas qu'il ait une existence dans nos vies.

Tu étais assis sur le canapé, en train de regarder la télé. Tu n'as pas émis un mot, mais ton regard me disait combien tu étais désolé. Tu savais. Quinze ans plus tôt, c'était ton père que le cancer avait grignoté. Tu en parlais peu, mais une fois tu m'avais raconté. L'hôpital. L'odeur des désinfectants. Les cheveux qui tombent. Les tuyaux. Les silences. La peur. Ses yeux. Les yeux de ta mère. Les bips. La dernière photo. Le nom dans le journal. L'absence.

Tu as ouvert tes bras, je me suis ruée dedans. En boule, les yeux fermés, la tête vide, c'était comme un caisson de déconnexion. La touche pause sur la télécommande de ma vie.

Tu m'as caressé la tête pendant des heures. Parfois, ton ventre manifestait sa faim, mais tu ne bougeais pas.

Il était tard quand nous avons déplié nos jambes engourdies. Il faisait nuit dans l'appartement, seule la lumière de la télé silencieuse dansait sur les murs.

— Tu crois qu'il va mourir ? ai-je demandé.

Tu as pris ma main et tu m'as entraînée vers la chambre. Tu as attrapé dans le tiroir de ton chevet une petite boîte en bois. Je l'avais déjà vue, mais je ne savais pas ce qu'elle contenait. Tu l'as ouverte et en as sorti des photos, un bracelet en argent, un bouchon de pêche et un mouchoir.

— C'était à mon père. Des photos de nous, sa gourmette de baptême, son mouchoir brodé et le bouchon qu'il avait utilisé quand il m'avait emmené à la pêche, quelques jours avant le diagnostic. Mon père est mort, mais il vit encore, parce que je me souviens de lui. Ton père est encore là, il faut que tu y ailles le plus souvent possible, pour le voir, l'entendre, le sentir. Si par malheur ça devait s'arrêter, il continuera de vivre en toi.

Tu as pris mon visage entre tes mains, tu m'as embrassée, et, le plus naturellement du monde, tu m'as demandé si je voulais des pâtes.

Chapitre 34

Quand mon père a demandé qui voulait l'accompagner à la pêche aux crabes à La Teste-de-Buch, je me suis fait tellement petite que j'ai presque disparu. C'était compter sans mon adorable fils, qui a hurlé « Moi, moi, moi ! » jusqu'à ce qu'on lui assure qu'il ferait bien partie de l'expédition. Milan n'a pas fait preuve d'un tel enthousiasme, mais son père ne lui a pas laissé le choix. L'adolescent passe le plus clair de son temps à surfer sur son ordinateur, sa tablette ou son téléphone, son père a estimé qu'il était temps pour lui de prendre l'air. Quant à moi, j'ai bien essayé de négocier avec ma conscience, mais je n'ai pas pu me résoudre à laisser partir mon fils près d'un plan d'eau avec une personne qui pouvait se laisser distraire par une bouteille et l'autre par une vidéo de chat qui a peur d'un concombre.

Il a fallu attendre la marée montante, il doit faire quatre-vingts degrés et nous sommes en plein soleil, je dégouline, je n'en peux plus et je n'ai rien d'autre à faire qu'écouter mon père nous expliquer comment on attrape les crabes verts. Si j'en ai un, je le lui fous dans le slip.

— Donc, on met l'appât dans la balance, c'est comme ça que s'appelle ce filet, puis on la plonge dans l'eau avec la perche, voilà, comme ça, et on attend un peu.

Jules a l'air passionné. Milan a l'air mourant.

Au bout de plusieurs interminables minutes, mon père tire sur la corde et hisse le filet.

— Et puis vous remontez la balance. Bon, c'est loupé pour cette fois, on n'a pas attendu assez longtemps. Jules, tu veux essayer ?

Autant demander à un aveugle s'il veut voir. Mon fils sautille en poussant des gloussements et suit les instructions de son grand-père.

À chaque fois que je les vois partager un moment, mon cœur se serre. Il y a huit ans, j'étais avec mon père quand le médecin a posé un obstacle sur son chemin. Ma mère avait été appelée en urgence pour un accouchement difficile, il n'avait plus le permis, il m'avait demandé si je pouvais l'accompagner.

C'était une formalité pour lui. Dans la salle d'attente, c'était le seul à ne pas avoir le pied qui tapait l'angoisse. Il venait chercher les résultats de ses examens, il repartirait avec une ordonnance, il aurait perdu trois heures et, quelques années plus tard, quand je lui parlerais de ce moment, il n'en aurait aucun souvenir.

Cela ne s'est pas exactement passé ainsi. Dans quelques années, quand je lui parlerai de ce moment, mon père se souviendra de chaque détail. Lorsque le médecin a prononcé les mots qui fâchent, son visage a pris dix ans et son regard en a perdu cinquante. Moi, j'ai senti une main froisser mon cœur comme une feuille de papier. Le docteur a dit « cancer », j'ai entendu « mort ». Mon papa allait mourir. Je ne le verrais plus, je ne l'entendrais plus, je ne penserais plus jamais à lui sans être submergée de chagrin. Il ne connaîtrait pas ses petits-enfants. Pire, ses petits-enfants ne le connaîtraient pas. Quand je les vois si complices, à partager de futurs souvenirs, je mesure notre chance.

Jules pousse un cri à faire exploser un verre en plastique.

— Un crabe ! Maman, regarde le crabe !

En effet, pris au piège dans le filet, une bestiole verte danse. Jules tend sa main pour l'attraper. En un clin d'œil, je le tire en arrière pour éviter le drame. Mon père saisit le crustacé en prenant soin de bloquer ses pinces et l'approche des yeux émerveillés de mon fils. Doucement, il caresse la coquille d'un doigt et insiste pour que Milan fasse la même chose. Ce dernier s'exécute, et c'est ensemble qu'ils relâchent leur butin, qui ne demande pas son reste et s'enfuit en biais.

Je recule de quelques pas pour prendre une photo. Sur l'écran de contrôle, il n'y a aucun doute : à cet instant précis, ils ont tous les trois quatre ans.

Les trois enfants pêchent depuis deux heures. J'ai trouvé un petit bout d'ombre sur lequel je me suis assise, mais la chaleur est étouffante. Le prochain qui me parle de crabe, je lui fais bouffer du surimi par le nez. Milan vient se poser à mes côtés.

— Tu captes, toi ?

J'envoie la question à mon cerveau, qui comprend, grâce à l'indice du téléphone dans la main, qu'il parle du réseau Internet.

— Je ne sais pas, je n'ai pas pris le mien.

— Putain, c'est relou, la cambrousse ! Ça rame, j'arrive pas à ouvrir mes *snaps* !

Je m'abstiens de demander ce que sont des *snaps*, je me sens déjà périmée depuis mes exploits sur la piste de danse. Il a l'air vraiment contrarié, c'est rare qu'il dévoile ses émotions. Je peux compter sur les doigts d'une main les fois où je l'ai vu rire. Jamais je ne l'ai vu pleurer ou en colère.

Il avait trois ans lorsque sa mère est morte. Il était dans la voiture lors de l'accident. Son père s'est plongé dans le travail, ma sœur a raconté un jour que le petit vivait la plupart du temps chez ses grands-parents quand elle a rencontré Jérôme. Il est revenu quand elle a emménagé, il avait neuf ans. J'ai tout de suite éprouvé beaucoup d'affection pour cet enfant taciturne et réservé. Peut-être parce qu'il me rappelle quelqu'un, une autre personne qui a perdu sa joie de vivre en même temps que sa mère.

— Tu ne captes pas la 3G ? je demande pour lui montrer que je m'intéresse à lui.

— Ça fait un moment qu'elle a été remplacée par la 4G.

La jeune que vous cherchez à joindre n'est pas disponible actuellement, mais vous pouvez lui laisser un message, elle vous rappellera quand elle ne sera plus mortifiée.

— Et ça ne peut pas attendre ? Tu pourras regarder tes *squats* en rentrant, non ?

— Mes *snaps*. C'est des messages vidéo, j'en ai reçu un important et je peux pas l'ouvrir. Ça me rend ouf !

— Qui te l'a envoyé ?

— Lou, une copine.

Je lui adresse un sourire avec sous-entendu.

— N'importe quoi, c'est juste une meuf que j'ai connue l'autre jour à la plage. Ah, ça y est, ça charge !

Il se lève d'un bond et s'éloigne suffisamment pour que je n'entende rien. Ou que je ne le voie pas rougir.

2 juin 2008

Nathalie et Marc venaient de rentrer de la maternité. Élise dormait paisiblement dans son couffin en laissant s'échapper des gémissements. Debout autour d'elle, nous étions tous les quatre en admiration.

— Ce tout petit nez !

— Oh ! Regardez, elle ouvre sa main !

— Elle est minuscule…

— Elle a ta bouche, Nath.

Les jeunes parents avaient les yeux aussi cernés qu'étoilés. Nous nous sommes installés sur le canapé pour qu'ils nous racontent l'arrivée de leur fille.

Nathalie mettait du temps à s'asseoir, elle semblait peiner à trouver la bonne position.

— Tout va bien ? ai-je demandé.

— Oui, t'inquiète, c'est juste les hémorroïdes. La sage-femme m'a dit qu'elle avait rarement vu ça, un champ de fraises !

— Quatre kilos deux cents, faut les sortir ! a renchéri Marc. Elle a poussé de toutes ses forces, pas vrai, chérie ?

Chérie a hoché la tête avec bravoure.

— J'avais l'impression que mes yeux allaient sortir de ma tête. En plus, la péridurale n'a pas fonctionné, j'ai tout senti. C'était atroce, j'ai cru que j'allais crever. Mais bon, ça valait le coup !

Elle s'est mise à pleurer bruyamment.

— Tu verras, c'est merveilleux ! a-t-elle articulé, le visage déformé.

C'était convaincant.

Marc a passé son bras autour de ses épaules et l'a câlinée. La petite s'est mise à hurler. Tu m'as souri. Je pense que j'avais la tête de quelqu'un qui vient de voir la mort en face.

— Vous voulez boire quelque chose ? a proposé Nath en se levant avec difficulté, tandis que Marc s'occupait du bébé.

Je l'ai suivie dans la cuisine. Elle marchait comme si elle avait un hérisson dans la culotte.

— Alors, ça ne te donne pas envie ? m'a-t-elle chuchoté.

— Là, tout de suite ? Ça me donne plutôt envie de condamner mon vagin avec un cadenas.

Elle m'a attrapé les mains.

— Je te promets, Pauline, quand ils ont posé ma fille sur moi et que ses yeux ont croisé les miens, j'aurais pu mourir de bonheur.

Cela se lisait dans son regard. Je n'avais jamais vu mon amie si épanouie, malgré la douleur.

Tu m'avais confié ton désir de bébé plusieurs fois, mais le douloureux souvenir de la naissance de mon frère avait fait éclore en moi une peur panique de l'accouchement. J'étais tout à fait disposée à avoir des enfants, je le souhaitais, à la condition qu'ils me soient livrés par la poste.

— Crois-moi, a-t-elle poursuivi. On oublie la douleur, il ne reste que la plénitude de serrer son bébé contre soi. Je sais que tu en as envie. Dépasse tes peurs, tu ne le regretteras pas.

Et elle s'est remise à pleurer.

Durant tout le trajet retour, tu as débité des arguments anti-bébé. Il va salir le canapé, finies les grasses matinées, il pourrait avoir le nez de ma mère, on ne va pas faire un enfant dans ce monde pourri, il faudrait qu'on déménage...

Je n'ai rien dit. Tu trouvais plus facile de combattre ton envie que mon refus.

Je t'ai appelé dans la salle de bains au moment où tu allais te coucher. Je t'ai fait signe de regarder dans la poubelle. Tu as obéi, puis tu as levé la tête avec un sourire qui ressemblait à un point d'interrogation.

— C'est ta plaquette de pilules ?

— Oui.

— Tu la jettes ?

— On dirait bien.

— Mais pourquoi ?

— Est-ce que tu veux ?

Tu as ouvert la bouche pour répondre, puis tu as compris l'allusion. Tu m'as serrée plus fort que tu ne m'avais jamais serrée. Je ne savais pas si j'accepterais de le faire sortir de mon ventre un jour, mais nous allions faire un bébé.

Chapitre 35

Ce matin, quand mon frère a annoncé qu'il avait une super idée, j'ai songé à me cacher dans la poubelle. La dernière fois que cela lui est arrivé, c'était lors de mon enterrement de vie de jeune fille, je me suis retrouvée en tenue de princesse sur un pont, un élastique attaché autour des chevilles. En sautant, après avoir hurlé un mot qui commençait par « co » et finissait par « nard », je me suis promis de ne plus jamais accorder la moindre confiance à ses idées.

Pourtant, lorsqu'il nous a proposé de faire un bond dans le passé, j'ai accepté. Lorsque nous étions petits, nos parents nous emmenaient souvent dans une cabane à huîtres, au Cap Ferret. J'ai dans la tête des images très précises de mes parents dégustant des coquillages et du vin blanc pendant que nous jouions au bord de l'eau en admirant le coucher du soleil. Ces moments figurent sans conteste parmi mes meilleurs souvenirs d'enfance. C'est certainement la raison pour laquelle je n'ai pas opposé trop de résistance à Romain. Emma et les parents ont immédiatement accepté, les grands-mères et Jérôme ont proposé de garder les petits. Tout était réuni pour que ce soit parfait.

La cabane est plus petite que dans ma mémoire. L'eau est moins bleue, aussi. Les huîtres, en revanche, sont bien meilleures. Enfant, il était impossible de m'en faire avaler, au même titre que les cornichons ou le fromage de chèvre. J'en raffole aujourd'hui.

Nous sommes assis autour d'une table en bois, à l'ombre d'un parasol. J'ai beau chercher, je n'arrive pas à me rappeler la dernière fois où nous avons été réunis tous les cinq. Juste tous les cinq.

— À nous ! dit mon père en levant son verre d'eau.

— À nous ! fait-on tous en l'imitant.

Petite, je ne voulais jamais quitter les miens. Les arrivées à l'école étaient toujours noyées dans les larmes, je tombais systématiquement malade quand mes parents prévoyaient de s'absenter sans nous et j'ai tellement hurlé le jour où on a voulu m'envoyer en colonie de vacances que les organisateurs m'ont refusée. Je ne me sentais bien qu'entourée de ma mère, mon père, ma sœur et mon frère. Mon avenir était tout tracé : je ne me marierais jamais, Emma et Romain non plus, et on resterait tous les cinq pour toujours.

— Jérôme nous a fait un beau cadeau en achetant cette maison, remarque mon père.

Ma sœur ronronne.

— Il essayait de le faire depuis longtemps, mais elle n'était jamais en vente. Il a réussi à convaincre les anciens propriétaires. Il savait que ça comptait pour nous… Il est tellement généreux !

— C'est vrai, répond ma mère, mais il travaille trop. Il passe son temps au téléphone ou dans son bureau, il n'a presque pas profité de la piscine, c'est dommage.

— C'est pour nous offrir une belle vie, rétorque ma sœur.

— Mais ça ne te dérange pas ? Il est souvent en déplacement, vous arrivez à passer du temps ensemble ?

Emma ne ronronne plus du tout. Si j'ai réussi à prendre de la distance – tout au moins physique – avec les jugements de ma mère, Emma les a toujours pris à cœur.

— On est très heureux, on s'entend très bien et on s'aime profondément. On a des enfants magnifiques et doués, de quoi pourrais-je bien me plaindre ?

— Tu as raison, intervient mon père. C'est tout ce qui compte. Et toi, Pauline, tu es contente de séjourner dans la maison de tes rêves de gamine ?

— La maison est chouette, il fait beau et on mange bien, mais il y a quelque chose qui gâche tout…

Les quatre me regardent de travers.

— La nuit, Romain se transforme en tractopelle.

Le soulagement se lit dans leurs yeux. Mon frère me balance un coup de pied dans le tibia.

Nous restons trois heures autour de cette table, à déguster les coquillages et le moment. C'est doux, c'est réconfortant, c'est comme si la petite fille en moi était venue faire un saut dans le présent.

Ma mère se sert un verre de vin.

— Il reste un fond de bouteille, qui en veut ? Pauline ?

— Maman, ça fait trente-cinq ans que je ne bois pas d'alcool.

— Ah oui, j'avais oublié à quel point tu étais sinistre.

Elle passe à mon frère, l'air de rien, sans se douter que sa remarque vient de transformer ce moment en souvenir douloureux.

Chapitre 36

Après dîner, nous sommes tous allés nous promener en bord de mer. Nous avons mangé des glaces, mon père a pris un supplément chantilly, les petits ont fait du manège et une crise quand il a fallu en descendre, Jérôme et Romain ont fait du trampoline, attachés à des élastiques, c'était notre première sortie ensemble et elle était presque parfaite. Il ne manquait que Ben. Alors, au retour, quand j'ai vu que j'avais un appel manqué de sa part, j'y ai vu un signe. Et je l'ai rappelé sans attendre.

— Salut, Pauline !

— Bonjour, Ben. Tu m'as appelée ?

— Oui, ça fait plus d'une semaine que vous êtes partis, j'appelais pour prendre des nouvelles. Comment ça se passe ? Vous devez être tout bronzés ?

Sa voix est chaleureuse, presque amicale, loin de celle, mécanique et froide, qu'il utilisait ces derniers mois. Comme s'il était revenu après une longue absence.

— Jules s'éclate, il passe son temps à se baigner. Tu veux lui parler ? Il ne dort pas encore.

— Tu me le passeras après, mais raconte ! Elle est comment, la maison de la plage ?

— Elle est chouette, on a une vue magnifique et une grande piscine.

— Ça doit te faire bizarre, tu l'aimais tellement… Et tout le monde va bien ? Nonna ?

— Oui oui, elle va bien. Elle est contente de retrouver son Sud-Ouest.

— Et toi ? Comment tu vas ?

Je reste silencieuse quelques secondes, le temps de faire disparaître la boule qui s'est formée dans ma gorge. Il s'intéresse à moi, je n'ai plus l'habitude.

— Ça va. Les vacances me font du bien.

— Tu sors un peu ?

— Pas beaucoup. On est allées en boîte l'autre soir avec Nath et Julie, j'ai mis trois jours à m'en remettre.

Il rit.

Ben. Rit.

— J'aurais voulu voir ça ! Dis, je voulais te demander si je pouvais prendre Jules une journée ? Samedi, si ça te va. Je passe le prendre et je te le ramène le soir.

— Je n'y vois pas d'inconvénient. Vous ferez quoi ?

— On ira à la plage s'il fait beau, sinon on verra. Tu voudras venir avec nous ?

J'ai envie de rire, pleurer, crier et faire des saltos arrière en même temps. Il faut que j'écourte, je vais me désagréger.

— Je ne pense pas, on verra… Bon, je vais te passer Jules, il trépigne à côté de moi. À samedi alors !

— Super, à samedi, ma pu... Pardon, à samedi, Pauline !

Je tends le téléphone à Jules, qui s'éloigne avec. Je m'assois sur le lit et regarde mes mains qui tremblent. À samedi, mon amour.

10 janvier 2009

C'était la deuxième fois que j'allais au ski. La première, j'étais en CM2 et j'avais eu mon flocon parce que le moniteur m'avait trouvée drôle.

Je l'étais toujours, visiblement. Depuis le bas de la piste, tu pleurais de rire en me regardant descendre. Les pieds en chasse-neige, les bras en bouclier, je glissais à la vitesse d'un escargot sous somnifère.

— Allez, ma puce, tu vas y arriver !

Tu avais insisté pour que je vienne avec toi. Je t'avais prévenu : j'allais te gâcher le plaisir. La seule chose que j'aimais à la montagne, c'était la raclette. Mais tu y tenais : quand tu voulais t'éclater sur ton surf, tu y allais avec tes copains. Là, tu avais envie de partager ce moment avec moi.

La gueule du partage.

J'ai mis moins d'une heure à te rejoindre, ce qui constitue un record, j'aurais tout à fait pu mettre une semaine. Tu m'as chaudement félicitée et, pour me récompenser de mes progrès, tu m'as proposé de descendre une piste rouge.

J'ai ri.

Tu étais sérieux.

J'ai accepté, l'amour rend inconscient. Ou alors c'est l'altitude.

Tu as skié au ralenti à mes côtés pendant vingt minutes, puis tu as dû avoir des fourmis dans les jambes.

— Je prends quelques bosses et je t'attends plus bas, OK ?

— OK.

Tu es parti à toute allure. Tu as pris une bosse, deux bosses, un vol plané.

La peur que tu sois blessé a surpassé celle de tomber. J'ai mis mes fesses en arrière et je t'ai rejoint tout schuss.

Tu ne pouvais pas bouger ta jambe sans hurler de douleur. Les secouristes sont arrivés, tu as été évacué.

Durant des mois, tu as raconté à qui voulait l'entendre que tu t'étais fait une entorse au genou rien que pour me prouver que j'étais capable d'abandonner le chasse-neige.

Tu ne m'as plus jamais emmenée au ski.

Chapitre 37

Pour se relaxer, certaines personnes vont au hammam, d'autres font du sport. Moi, je repasse.

Je ne connais rien de plus apaisant que le fer brûlant qui glisse sur le tissu et le transforme en un clin d'œil. De froissé et rêche, il devient lisse et doux. Pourvu qu'un jour on invente un fer à repasser sa vie.

Colombe est dans la buanderie lorsque j'y arrive, ma panière de linge propre sous le bras.

— Ah, tu utilises le fer ?

— Il semblerait.

Toujours aussi aimable, Marcelle.

— Je repasserai plus tard.

— Attends ! J'ai bientôt terminé. Tu sais donc te servir de tes mains ?

— Pardon ?

— Ta mère n'a jamais rien su faire de ses dix doigts. Si elle n'avait pas rencontré Patrick, elle vivrait dans une porcherie et se nourrirait exclusivement de plats surgelés. Si tu sais repasser, elle n'a pas tout loupé.

Je reste muette, choquée par la violence de ses mots à l'égard de sa propre fille. Colombe a toujours fait partie de nos vies. Ma mère est sa fille unique, elle tenait à l'inviter régulièrement ou à nous emmener la voir dans sa grande maison blanche. Nous devions nous asseoir sur les chaises en bois, le dos droit, les mains sur les genoux, et surtout ne parler que quand elle nous interrogeait. Les mots tendres étaient bannis de son vocabulaire, en revanche elle portait un intérêt non feint à nos résultats scolaires. Lorsque nous la quittions, elle nous glissait une pièce dans la main et n'oubliait jamais de nous le rappeler la fois d'après.

Elle n'a jamais été tendre avec nous, mais nous ne lui en avons jamais tenu rigueur. C'est Colombe, nous l'avons toujours connue ainsi et jamais rêvée autrement. Nous en riions même, surtout quand Romain l'imitait, avec la bouche pincée et les yeux perçants. Je n'avais jamais pris conscience de sa malveillance à l'égard de ma mère. Sauf une fois.

Un soir, je devais avoir treize ans, j'ai surpris une conversation entre mon père et ma mère. Elle pleurait, sa mère venait de lui dire qu'elle était un accident, qu'elle ne voulait pas d'enfant, surtout pas avec cet homme. Mon père la regardait sans réagir.

Colombe interrompt son geste et me fixe.

— Tu as toujours été ma préférée, tu sais. Ta sœur est une faible et ton frère n'est pas un vrai homme. Toi, tu me ressembles.

J'essaie de ne pas faire la grimace.

— Je te ressemble ?

— Bien plus que tu ne le penses. J'ai terminé, tu peux prendre la place.

Elle plie le gilet qu'elle vient de repasser, le dépose dans sa panière et se dirige vers la porte. Je me décale pour la laisser passer, elle pose son regard sur mon linge et sourit.

— Moi aussi, je repasse les culottes et les taies d'oreiller.

30 septembre 2009

Cette fois, c'était la bonne. Deux jours de retard et les seins douloureux, il n'y aurait pas de déception.

Nous étions excités comme des enfants à Noël. Nous allions avoir un bébé.

J'ai ouvert l'emballage du test et je me suis enfermée dans les toilettes. Tu attendais juste derrière la porte. C'est ce qu'on appelle le partage.

J'ai fait pipi sur le bâtonnet et je suis sortie, la culotte à moitié remontée. Nous n'allions pas apprendre la présence de notre enfant au petit coin.

J'ai posé l'objet de notre attention sur la table basse, préalablement protégée avec du papier journal. Nous nous sommes assis et l'avons fixé en silence en nous tenant la main. Sur l'emballage, il était écrit qu'il fallait attendre trois minutes : si une barre rose se dessinait, c'était positif.

Une minute

— T'es sûre que t'as bien pissé dessus ?

— Certaine. Je suis ceinture noire de jet d'urine.

Deux minutes

— On l'annonce quand ?

— Je sais pas… J'attendrais bien trois mois, mais je ne suis pas sûre de tenir.

— Moi non plus. Je vais chercher le téléphone.

Trois minutes

— Tu le vois ?

— Non, et toi ?

— J'ai l'impression que je vois un truc.

— Moi aussi, mais c'est léger.

— On attend encore un peu ? C'est fabriqué en Chine, peut-être que les minutes sont plus longues là-bas.

Cinq minutes.

Silence.

Si j'ouvrais la bouche, je pleurais.

Tu t'es levé et t'es éloigné, le bâtonnet dans la main, les épaules basses. Je suis restée sur le canapé à écraser un par un les rêves qui ne se réaliseraient pas. Au bout d'un moment, je suis venue te rejoindre. Tu étais sur ton ordinateur.

— Tu fais quoi ?

— Viens voir.

Je me suis approchée. L'écran affichait la photo de quelque chose que je n'identifiais pas. Tu jouais avec le contraste et la saturation pour la modifier.

— J'ai cru voir un trait léger, alors j'ai pris le test en photo et je l'ai transférée sur l'ordinateur. Tu vois, en poussant le contraste à fond, on voit une petite trace, non ?

J'ai éteint l'ordinateur et je me suis assise sur tes genoux, mes bras autour de ton cou. Non, il n'y avait pas de trace. Ni cette fois-ci, ni les quinze mois qui venaient de s'écouler.

Chapitre 38

— J'ai une grande nouvelle à vous annoncer !

Ma sœur a le même air que quand elle gagne au Monopoly. À ses côtés, Jérôme la regarde comme si elle avait acheté la rue de la Paix. Autour de la table, où nous sommes tous réunis pour le déjeuner, les regards convergent vers elle. Elle attend quelques secondes pour faire monter la tension. Tarantino est dans la place.

— T'es enceinte ! propose Nonna.

— Non. Mieux !

— T'es pas enceinte ! lance mon frère.

— Tu peux y aller, méchant, je suis de trop bonne humeur pour mal le prendre. Alors, personne ne trouve ?

Visiblement, non. Emma lève le menton un peu plus haut. Si elle continue, elle va se faire un torticolis.

— Allez, je vous dis. Vous n'allez pas en revenir. Tadaaa ! Je vais écrire un livre !

— Nous ne risquions pas de trouver, lâche Colombe, le regard vide.

— T'as pas parlé d'une grande nouvelle ? demande Romain.

— C'est ça, la grande nouvelle ! intervient Jérôme, qui ne saisit pas le second degré. J'ai un ami éditeur à New York, il a trouvé le projet très excitant. Emma va devenir une star aux *States* !

Ma sœur hoche la tête, le regard mouillé. Bill et Hillary Clinton.

— Ça va parler de quoi ? s'enquiert ma mère.

— Ce sera un recueil de conseils pour réussir sa vie. Les Américains raffolent de ce genre de livres, surtout quand ils sont écrits par des Françaises. Ils envient notre *way of life*, et je pense être bien placée pour écrire un livre à ce sujet.

Comme personne ne réagit, elle argumente :

— Je suis mariée à un homme qui réussit, j'ai des enfants intelligents, je ne fais pas mon âge, j'entretiens mon corps, j'ai une jolie maison et je prépare de bons plats, je pense que beaucoup de femmes m'envient. Je veux leur donner les clés pour avoir la même vie que moi.

— As-tu prévu un chapitre sur la modestie ? demande Colombe.

Tout le monde se met à rire. J'ai du mal à résister, mais ma sœur me fait de la peine. Je me sens obligée de prendre sa défense :

— Moi, je trouve que c'est une bonne idée. Je ne te cache pas que je trouve ça un peu sexiste, heureusement que toutes les femmes n'ont pas pour seul objectif d'avoir une belle maison, un beau cul et un beau mari, mais ça peut marcher. Et je suis convaincue que tu vas faire ça très bien !

— C'est vrai, c'est une bonne idée, confirme Nonna. Tu as toujours aimé t'occuper de ta famille et de ta maison, ce projet te correspond tout à fait.

— Je suis fier de toi ! ajoute mon père.

Toutes les dents d'Emma sont visibles. On dirait une présentatrice du téléachat.

— Merci ! Je suis tellement heureuse que ça vous plaise, vous savez à quel point je suis attachée à ces valeurs. J'ai déjà écrit un chapitre sur les méthodes pour rester classe en toutes circonstances, vous voulez que je vous le lise ?

Sans attendre notre réponse, elle allume sa tablette et commence à lire. On en est au point numéro trois, comment rester classe quand on mange au *fast-food*, quand Jules et Sydney déboulent sur la terrasse en courant. On ne les a pas vus quitter la table, ils ont dû profiter de l'annonce d'Emma.

— Maman, maman ! Ça marse plus, tu peux sanzer les piles ?

Jules me tend un objet que j'identifie immédiatement.

— Où tu as trouvé ça ?

— Dans le sac à Maman ! répond Sydney. C'est rigolo, ça fait des chatouilles, mais ça marche plus.

Ma sœur est en état de décomposition avancée. Chacun fait son possible pour ne pas pleurer de rire. Mon frère l'aide à reprendre ses esprits.

— Tu nous expliquais comment rester classe en toutes circon…

— Maman ! le coupe Jules. Il s'appelle comment le zouet ?

Je n'arrive pas à parler tellement je me mords les joues. C'est Colombe qui répond.

— Cela s'appelle un vibromasseur. Quelqu'un peut me passer la salade ?

15 novembre 2009

C'est Julie qui m'avait donné l'idée. « Pour rendre fou un homme, rien de tel qu'un strip-tease. » *J'avais ri, manquait plus qu'elle me conseille de lui concocter de bons petits plats, puis je m'étais dit que ce n'était pas si saugrenu.*

J'avais regardé des vidéos sur YouTube. Ça avait l'air facile, il suffisait de se dandiner, de jouer avec ses cheveux et de se débarrasser de ses vêtements avec glamour.

J'avais acheté une guêpière porte-jarretelles, des gants et des talons de douze. Les étiquettes étaient encore dessus le soir où je les ai enfilés. Il m'a fallu une heure.

Je t'avais demandé de m'attendre dans la chambre. Tu n'avais pas résisté, tu étais épuisé. Toutes les cinq minutes, je criais ton prénom pour m'assurer que tu ne t'étais pas endormi.

Fermer une guêpière seule, c'est aussi facile que de traverser l'Atlantique à la nage pour une enclume. Mais ce n'est rien à côté des porte-jarretelles. Ces choses sont purement impossibles à accrocher. Elles ont été inventées par quelqu'un qui n'aimait pas les gens. Sans doute le même qui a créé les ouvertures faciles.

*Au bout d'une heure, j'ai abandonné. Vêtue d'une robe noire boutonnée devant qui cachait une guêpière à moitié fermée, des bas pas vraiment accrochés et un string dont j'avais eu du mal à distinguer l'avant de l'arrière, j'ai lancé la musique (*You Can Leave Your Hat On*) et je t'ai rejoint dans la chambre en essayant de ne pas me tordre les chevilles.*

Tu as eu l'air content en me voyant. Tu avais les yeux qui brillaient.

J'ai commencé à me déhancher d'une manière que j'espérais langoureuse, au moins autant qu'une bûche dans un torrent. J'avais mal aux pieds, mais j'essayais de ne pas le montrer. Un à un, j'ai ouvert les boutons de la robe et je l'ai laissée glisser au sol. Tu t'es redressé dans le lit, j'ai cru te voir rougir.

Encouragée par ce signe d'excitation, j'ai retiré la pince qui retenait mes cheveux en tournant sur moi-même. Mon talon s'est pris dans ma robe, j'ai perdu l'équilibre, mais le mur m'a rattrapée. L'air de rien, je l'ai intégré à la chorégraphie. Je me suis trémoussée dos au mur au rythme de la musique. Tu as posé ta main sur ton torse en passant ta langue sur tes lèvres. J'étais heureuse d'avoir écouté Julie.

Lentement, en balançant mon bassin, je me suis rapprochée du lit. J'ai enlevé mes chaussures, posé un pied dessus et fait glisser le bas le long de ma jambe en te regardant dans les yeux. Je ne t'avais jamais vu cet air. On aurait dit que tu allais exploser.

J'ai enlevé le second bas et, à quatre pattes, j'ai traversé le lit pour te rejoindre. Je n'ai pas eu le temps de t'atteindre que tu t'es levé d'un bond et as couru vers la salle de bains.

Quand la musique s'est arrêtée, tétanisée à quatre pattes, j'ai entendu un bruit que j'ai mis du temps à identifier. Tu as vomi toute la nuit.

Le lendemain, le médecin m'a rassurée : c'était juste un virus. Je l'ai cru, mais, dans le doute, je n'ai plus jamais sorti ma guêpière.

Chapitre 39

Nonna a tenu à ce que je l'accompagne au marché. J'ai d'abord cru qu'elle avait envie de passer un moment avec moi, mais, quand je vois à quel point elle a chargé mes bras, je me demande si elle ne m'a pas prise pour un Caddie.

On s'arrête chez chaque marchand. « Sait-on jamais, il y a peut-être de bonnes affaires. » Je la suis en grommelant pour la forme. En réalité, je suis heureuse d'être à ses côtés, de voir ses fines mains veinées palper les melons, d'entendre sa petite voix demander un kilo de tomates pas trop mûres s'il vous plaît. Depuis qu'elle s'est installée à l'autre bout du pays, il manque quelque chose à ma vie.

— Je te trouve meilleure mine qu'à ton arrivée, dit-elle en passant son bras sous le mien pendant que nous marchons.

— Je décide de bien le prendre !

— Tu as raison, c'est un compliment. Alors, tu vas te décider à me dire comment tu te sens ?

Quand Ben m'a quittée, Nonna est l'unique personne que j'ai appelée. Je n'avais envie de parler à personne d'autre. Elle seule était capable de m'écouter répéter inlassablement que c'était impossible sans me raccrocher au nez. Par la suite, je lui ai donné des nouvelles régulières, jusqu'à ce que je prenne conscience qu'il ne reviendrait peut-être pas. J'étais incapable de lui mentir, et encore plus de le dire à voix haute.

— Je me sens mieux. Les vacances me font du bien, je n'aurais pas cru !

— Tu es entourée de personnes qui tiennent à toi, c'est le meilleur antidote à la tristesse.

Elle s'arrête et me fixe du regard.

— Tu as eu raison de venir, ma chérie. Je sais que tu n'as qu'une envie : rester dans ton lit et attendre que ça passe. Si j'avais pu, je me serais cloîtrée chez moi après la disparition de pépé ou celle de tes oncles. J'y serais sans doute encore. C'est vous, mes enfants et mes petits-enfants, qui m'avez poussée à avancer. Quand on n'a plus assez de force, on peut la puiser chez les autres.

Je ne sais pas si ça se fait, de poser une grosse bise sur la joue de sa grand-mère au beau milieu des courgettes et des meules de gruyère, mais c'est ce que je fais. En relevant la tête, j'avise un homme qui m'observe avec insistance. Il me faut quelques secondes pour le reconnaître. C'est Maxime, le brun au tee-shirt blanc de l'autre soir. J'hésite à faire semblant de ne pas l'avoir vu, mais il s'approche déjà.

— Salut, Pauline !

— Bonjour, je réponds en tentant de paraître naturelle malgré mes bras chargés de vivres pour un an.

Je reste quelques secondes plantée, un sourire gêné sur les lèvres, avant que Nonna prenne les choses en main.

— Tu ne me présentes pas ton ami ?

— Ah, si si ! C'est Maxime, je l'ai rencontré l'autre soir quand je suis sortie avec mes copines. Maxime, ma grand-mère.

Ils se serrent la main, puis elle s'éloigne, subitement très attirée par un gadget pour extraire le jus des citrons. Je cale les pommes de terre contre mon ventre.

— Bien remise de ta soirée ?

— J'ai dormi jusqu'à 11 heures. On n'a plus vingt ans !

« On n'a plus vingt ans ! » Bientôt, je vais lui dire que les chiens ne font pas des chats, on n'est pas sorti de l'auberge, à l'aise Blaise.

— Moi, j'ai eu du mal à trouver le sommeil. J'ai vraiment passé une bonne soirée avec toi ! Ta copine était contente de son anniversaire ?

— Apparemment oui, elle veut remettre ça tous les ans !

— Alors il faudra que je m'arrange pour être là l'année prochaine.

Il me dévisage avec sérieux. Le message devient de moins en moins subliminal. Il est agréable à regarder, ses yeux sont encore plus beaux en plein jour, il est drôle, il a l'air sensible, mais je n'ai ni l'envie, ni le temps, ni la possibilité de lui offrir autre chose qu'un sourire.

— T'es venu acheter à manger ? je demande pour changer de sujet.

— Non, je me balade pour prendre des photos. C'est vraiment beau, par ici.

Son regard se fait insistant. Nonna revient au moment où les pommes de terre allaient se transformer en purée, ravie de sa nouvelle acquisition.

— Bon, on va continuer, ça commence à être lourd. Bonne journée, Maxime, contente de t'avoir revu !

Il approche son visage du mien et me fait la bise, puis serre la main de Nonna avant de s'éloigner. Il a déjà fait quelques pas quand je remarque qu'il a posé quelque chose sur la barquette de fraises. Sa carte de visite.

Chapitre 40

– On fait quoi pour Papa ?

Romain n'arrive pas à dormir. Il a donc décidé que je ne dormirais pas non plus.

— Je pense qu'on s'est plantés : s'il buvait, on l'aurait vu.

— J'en suis pas si sûr... Cette semaine, il a disparu deux fois, où veux-tu qu'il aille ? Ou alors il a une maîtresse.

— Arrête tes conneries.

— Et pourquoi pas ? C'est quand même étrange, ces cachotteries !

J'essaie de chasser l'image de mon père avec une autre femme quand quelqu'un tape à la porte de notre chambre. Sans attendre la réponse, Milan entre et s'assoit sur le lit.

— Vous dormez pas ?

La nuit va être courte.

— J'ai besoin de conseils pour un copain. Il est amoureux d'une fille et il pense qu'elle le kiffe bien, mais il sait pas comment s'y prendre. Romain, t'es passé par là, tu sais peut-être comment il pourrait faire ?

— T'es jamais sorti avec une fille ? demande mon frère.

Milan prend un coup de soleil. Pour un copain, tu parles. Je lui souris.

— C'est Lou ?

Il hoche la tête.

— Facile ! dit Romain. Tu lui chantes une chanson à la guitare, c'est imparable.

— Si elle m'entend chanter, elle va porter plainte pour agression, t'as pas un truc plus accessible ?

— Tu peux te faire tatouer son prénom, j'ai fait ça pour Thomas, il a adoré.

— Ah, c'est pas mal, ça ! s'exclame Milan.

Ils font vraisemblablement un concours pour déterminer lequel des deux est le plus con.

— Vous n'êtes pas sérieux, tous les deux ? Milan, tu ne vas quand même pas te faire tatouer le prénom d'une fille que tu connais à peine ! Tu imagines la tête de ton père ?

— Ça s'enlève hyper facilement maintenant !

— Romain, tu as créé un monstre, débrouille-toi pour réparer ça.

Mon frère hausse les épaules.

— Je pensais que c'était une bonne idée. Si t'en as une meilleure…

— Je vais trouver ça, laissez-moi réfléchir un peu.

Milan secoue la tête et se dirige vers la porte.

— Laissez tomber.

— Mais reste là, Milan ! je m'exclame. Je vais t'aider, compte sur moi.

— Je voulais voir Romain, c'est pas grave.

Il va finir par être désobligeant.

— Tu ne veux pas de mes conseils ?

Il baisse la tête et bredouille :

— Je veux pas te vexer, mais non merci.

Romain est au spectacle. Il ne lui manque que le pop-corn. J'essaie de comprendre :

— Mais pourquoi ?

— Tu promets de rien dire ?

— Hmm.

— Promets, insiste l'adolescent.

— OK, je promets.

— C'est à cause de mon père.

— Ton père ? Qu'est-ce qu'il a à voir là-dedans ?

— L'autre jour, je l'ai entendu dire que c'est ta faute si Ben est parti. Alors je préfère éviter tes conseils, tu comprends. Je suis désolé.

Il ouvre la porte et sort avant que j'aie pu émettre un son. Même Romain est en état de choc. Il me caresse le dos doucement.

Quel petit ingrat, ce Milan. J'espère que Lou lui refilera un herpès.

20 décembre 2009

J'ai failli annuler plusieurs fois. Si j'étais obligée de fêter mes trente ans, c'était avec toi que je voulais le faire.

Tu savais que la perspective de passer ce cap ne me réjouissait pas outre mesure. Pour quelqu'un qui aime tout maîtriser, voir le temps glisser entre ses doigts a quelque chose d'angoissant. Je t'avais prévenu : je voulais que cette soirée soit comme les autres, je ne voyais pas l'intérêt de fêter mon vieillissement.

Nathalie m'avait proposé de dîner avec elle au restaurant. « Tu ne peux pas ne rien faire le soir de tes trente ans. » J'avais répondu que si, je le pouvais tout à fait, mais elle avait joué sur la corde sensible : elle avait absolument besoin de me parler, elle n'avait pas le moral. Tu m'as poussée à y aller.

— Je rentre tôt, ai-je promis en t'embrassant. Je prends juste un plat et je mangerai le dessert avec toi.

— OK, à tout à l'heure !

Tu étais affalé sur le canapé. Je serais bien restée avec toi.

Nathalie m'attendait devant la porte du restaurant, une cigarette à la main.

— Je finis ma clope et on entre.

J'ai compris qu'il se tramait quelque chose quand elle a enchaîné sa troisième cigarette. Elle parlait à toute vitesse, comme pour ne pas me laisser le temps de réfléchir.

Je l'ai suivie à travers la grande salle. À mi-chemin, je t'ai vu. Assis au bout de la longue table, avec mes parents, ma sœur, mon frère, Colombe, Julie, Samira, Jérôme, Seb, Marc, et une femme que je n'ai pas reconnue immédiatement, mais qui me fixait avec émotion. Tu avais retrouvé mon amie d'enfance, Coumba.

Tu avais tout organisé, persuadé que cela me ferait plaisir, malgré ce que j'annonçais. Tu me connaissais mieux que moi-même.

La soirée était presque parfaite. L'ambiance était détendue, il y avait des rires, des souvenirs, des frites maison, de l'amitié. Mais il manquait quelqu'un pour qu'elle le soit vraiment.

Elle est arrivée juste avant le gâteau. Son train avait eu du retard, le taxi l'avait déposée devant. Je lui ai sauté dans les bras. Ma Nonna. Elle avait déménagé à Strasbourg quelques semaines plus tôt, je ne me remettais pas de son absence.

En revenant m'asseoir, j'ai croisé ton regard. Tu étais heureux. Juste parce que je l'étais.

Chapitre 41

On n'est jamais aussi stressé que quand on essaie de ne pas l'être. Ben sera là d'une minute à l'autre, et plus j'essaie de faire disparaître les effets de l'anxiété, plus ils s'imposent. Il a été tellement agréable au téléphone que les espoirs ont fait un retour en force dans mon esprit, balayant sur leur passage toute trace de raison. J'ai les jambes qui tremblent, le cœur aussi, j'ai le souffle court et le ventre noué. Je suis plus excitée que Jules, qui traîne les pieds depuis ce matin. Assis sur le muret qui borde la plage, face à la maison, nous comptons les secondes, mais pas pour les mêmes raisons.

— Papa va être content de te voir !

— Moi ze suis pas content.

Il baisse la tête et se met à pleurer en silence. Je le prends dans mes bras et berce mon tout petit garçon.

— Qu'est-ce qu'il y a, mon chéri ? Pourquoi tu es triste ?

— Ze veux pas voir Papa. Plus zamais ! Ze veux touzours rester avec toi !

Mon cœur se comprime. Jules n'a fait pipi au lit qu'une fois depuis notre arrivée, j'en ai déduit qu'il allait mieux. Lorsque nous avons emménagé chez mes parents, il n'a vu que les aspects positifs : une nouvelle chambre, trois personnes pour jouer avec lui, les bons gâteaux de Papy et les câlins de Mamie. Comme moi, il lui a fallu du temps pour comprendre que la situation n'était peut-être pas provisoire, et exposer son chagrin. Il y a eu des « ze veux rentrer à la maison », des « ze veux Papa et Maman », il y a eu des cauchemars, des colères, des larmes. J'ai essayé de trouver les mots, ceux que je ne trouvais pas pour moi. C'est dur d'expliquer une situation que l'on n'a pas voulue.

Quand j'étais en CM2, les parents de Coumba, ma meilleure copine, ont divorcé. Une fois, à la récré, elle a sorti de sa poche la photo de leur mariage en petits morceaux. Son père l'avait jetée, elle l'avait récupérée dans la poubelle. On l'a recollée sur une feuille avec de la colle Cléopâtre, et elle s'est mise à pleurer. « Je voudrais pouvoir recoller mes parents aussi. » Deux jours plus tard, la maîtresse nous a annoncé que Coumba et sa maman avaient déménagé, qu'elle ne reviendrait pas à l'école. Je n'ai jamais oublié son regard, le jour de la photo. C'est le même que je vois en regardant mon petit amour.

Quand il est né, nous étions tellement heureux, après toutes ces années à essayer d'avoir un enfant, que nous nous sommes fait tatouer nos trois initiales. Ben à l'intérieur du biceps, moi sur les reins. Avant d'y aller, j'avais demandé à Ben s'il était sûr de lui, parce que c'était définitif. « Moins définitif que notre famille », avait-il répondu.

Je serre fort Jules dans mes bras. Son petit corps est secoué de hoquets. Ce ne sont pas des pleurs qui réclament un dessin animé ni ceux d'une chute sur le gravier. Ce sont des pleurs qui viennent du ventre, qui ne font pas de bruit, qu'aucun pansement ne peut sécher.

— Ça va aller, mon tout-petit, ça va aller. On est toujours une famille, tu sais. On sera toujours une famille. Papa t'aime très fort, tu vas passer un bon moment avec lui.

Je sens ses petites mains s'agripper à ma taille. À cet instant, j'aimerais le remettre à l'abri dans mon ventre et le protéger de tout.

— Bonjour, mon grand !

Je n'ai pas entendu Ben arriver. Il est planté devant nous, un paquet-cadeau dans la main, un sourire sur les lèvres. Jules s'écarte de moi en entendant la voix de son père. Le paquet-cadeau lui fait plus d'effet que mon câlin. Il sèche ses larmes et rejoint son père, qui le soulève dans ses bras.

— Alors, mon grand, qu'est-ce qui t'arrive ?

Je réponds en haussant les épaules :

— Un gros chagrin parce qu'il ne voulait pas quitter sa maman.

— Ah, ça ! Il me le fait à chaque fois qu'il doit partir de chez moi.

BIM.

— C'est quoi mon cadeau ? demande Jules.

Il l'aide à ouvrir le paquet et à libérer une voiture qui se transforme en dinosaure, puis se tourne vers moi.

— Je te le ramène demain, j'ai réservé une nuit d'hôtel, c'est bon ?

Pas un sourire, il est glacial. Ses parents se sont trompés à la naissance, ils auraient dû l'appeler Mister Freeze.

Je hoche la tête, incapable d'émettre le moindre mot tellement je ne m'attendais pas à cette attitude après son appel chaleureux. Il repose Jules par terre et, main dans la main, les deux hommes de ma vie partent se fabriquer des souvenirs sans moi.

La maison est vide quand je rentre. Ils sont tous partis passer la journée sur le nouveau bateau de Jérôme. Je m'allonge sur le lit et reste un moment, là, inerte, à regarder ce plafond qui a une vie plus palpitante que la mienne. Puis, sans que je sache vraiment pourquoi, comme si quelqu'un tirait mes ficelles, j'attrape mon téléphone, la petite carte au fond de la corbeille, et je compose le numéro de Maxime.

25 janvier 2010

Depuis plusieurs semaines, une petite boule dure avait élu domicile sur la face avant de ma cuisse droite, tout en haut. Je l'avais découverte par hasard, en glissant ma main dans la poche de mon pantalon. Elle n'était pas visible, ni douloureuse, elle ne m'inquiétait pas. Mais une collègue m'avait recommandé de consulter.

Tu m'as accompagnée chez le médecin. C'était le remplaçant de l'habituel, qui avait été victime d'un infarctus quelques semaines plus tôt. C'était la première fois qu'on le voyait.

C'était un sexagénaire sérieux, jusque dans son écriture totalement lisible. Il affichait une mine aussi grave que l'exigeait sa fonction et distribuait à tour de bras « madame » et « Je vous prie ». Tout juste s'il ne terminait pas ses ordonnances par « Salutations distinguées ».

Il a réglé l'affaire en quelques mots. Cette boule était absolument inoffensive, c'était sans doute un lipome profond, il pouvait me prescrire une échographie si j'y tenais, et on pourrait la faire enlever si elle devenait gênante ou douloureuse.

J'ai remonté mon pantalon, tu m'as souri, puis tu t'es adressé au médecin sur un ton très sérieux :

— Maintenant, moi aussi je pourrai lui casser les couilles !

Puis vous avez ri, tous les deux.

Chapitre 42

Cinquante fois, j'ai failli annuler. Cinquante fois, j'ai composé le numéro avant de raccrocher. C'est une conversation avec Julie qui m'a convaincue : « Ça ne t'engage à rien, à part à passer une bonne soirée. »

Maxime m'a donné rendez-vous sur la jetée Thiers à 18 heures. Il est déjà là lorsque j'arrive et s'avance vers moi pour me faire la bise.

— Je suis content que tu m'aies appelé. T'as pas le mal de mer ?

— Non, pourquoi ?

— Parce qu'on va faire un tour sur l'eau ! dit-il en désignant un immense catamaran qui s'approche de la jetée. C'est une croisière de deux heures qui fait le tour du bassin d'Arcachon, je me suis dit que ça pourrait être sympa. On est une vingtaine à bord et on déguste des huîtres et des petits-fours. Ça te tente ?

— Ça me tente beaucoup.

Les skippers ont hissé les voiles, le bateau glisse lentement. Nous sommes assis sur le trampoline, à l'avant du catamaran. J'ai l'impression de voler au-dessus de l'eau.

— Regarde ça, s'exclame Maxime, des maisons sur pilotis !

— Les cabanes tchanquées de l'île aux Oiseaux, tu ne connaissais pas ?

— Pas du tout, je découvre. C'est magnifique !

— Tu n'as pas pris ton appareil photo ?

— Non, je l'ai laissé dans ma chambre. Je pense qu'il me fera la gueule à mon retour.

— Je le comprends, il va avoir les boules d'avoir loupé ça.

— Je voulais profiter du moment à fond. Avec toi.

Il sourit. Les pattes-d'oie lui vont bien.

— Je vais nous chercher des huîtres. Tu carbures toujours au jus d'orange ?

— Je veux bien un Coca, plutôt. Je suis une guedin.

Il s'éloigne en riant. Le jean aussi lui va bien.

Nous passons devant la pointe du Cap Ferret, langue de terre presque sauvage aux petits airs de bout du monde, quand Maxime me prend la main. Par réflexe, je la retire brusquement, avant de prendre conscience de la violence de mon geste.

— Désolée, je ne m'y attendais pas…

— C'est pas grave, je comprends. Moi aussi, je suis devenu un handicapé sentimental.

Nous entrons dans une zone de turbulences. Et je ne parle pas de la mer.

— Je suis seul depuis trois ans, je ne suis même pas sûr de savoir encore embrasser ! dit-il en riant.

— Trois ans ?

— Ouais. Personne depuis ma séparation avec la mère de ma fille.

— Par choix ?

— Oui. J'avais besoin de me retrouver et de me consacrer à ma fille, elle a beaucoup souffert de la séparation. Et j'attendais le coup de cœur.

Sans me lâcher du regard, il repose sa main sur la mienne. Cette fois, je n'ose pas la retirer.

Nous restons assis un moment, à partager en silence la vue époustouflante. Le vent dessine des rides sur l'eau, le soleil se reflète dedans, la dune du Pilat se dresse, majestueuse. Il y a longtemps que je ne me suis pas sentie aussi libre.

Maxime a l'air aussi concentré que moi. Assis en tailleur, les yeux fermés, il offre son visage au vent.

— C'est fantastique, hein ?

Il hoche la tête, sans un mot.

— Comment tu as eu cette idée ?

Pas de réponse. Il garde les paupières closes et sa main se crispe sur la mienne.

— Maxime ?

Il tourne la tête vers moi et ouvre les yeux. Dedans, je peux distinctement lire : « Les huîtres veulent retrouver leur liberté. » J'ai un fou rire nerveux.

— Oh merde, t'as le mal de mer ! Tiens bon, on est presque arrivés. Regarde droit devant et respire profondément.

Jusqu'à l'accostage, il reste parfaitement immobile. Et livide. De loin, les gens doivent le prendre pour la figure de proue. Il est le premier à poser un pied sur la terre ferme, et le soulagement se lit sur son visage. Il m'aide à le rejoindre, ses joues ont déjà repris des couleurs.

— Je suis désolé, dit-il tandis qu'on s'éloigne de son cauchemar.

— Ne le sois pas, c'était vraiment une bonne idée. Tu peux être sûr que je n'oublierai jamais cette soirée !

21 septembre 2010

Je prenais ma température tous les jours pour tracer une courbe de fertilité.

J'utilisais des tests d'ovulation pour repérer les jours les plus propices.

Je faisais la chandelle après chaque rapport.

Le désespoir avait modifié nos relations. Nous ne faisions plus l'amour, nous faisions un bébé.

Au bout de dix-huit mois, nous avions vu un spécialiste. Il nous avait conseillé d'attendre encore un peu, de moins y penser, de prendre des vacances. J'avais fortement envisagé de le faire passer par la fenêtre.

Pourtant, nous l'avions écouté. Tu travaillais beaucoup, nous nous éloignions l'un de l'autre, il était temps de nous retrouver. J'avais réservé une semaine en Corse, pour nous rappeler notre voyage de noces, sans omettre de calculer ma période d'ovulation.

Nous avions passé six jours à nous embrasser, à discuter d'autre chose que les factures ou le travail, à rire, à nager, à dormir, à faire l'amour, à nous dire en les pensant vraiment des mots qui étaient devenus automatiques. Nous nous voyions bien rester dans cet hôtel sur la plage, à nous aimer jusqu'à la fin du monde.

Dix jours après notre retour, je me suis réveillée en pleine nuit. Quelque chose coulait entre mes cuisses. J'ai immédiatement compris. Ce ne serait pas pour cette fois.

Je suis allée aux toilettes et le rouge sur mes jambes a confirmé le verdict. J'ai pris une douche rapide, j'y ai noyé quelques larmes, puis j'ai avisé la boîte bleu et blanc sur l'étagère de la salle de bains. Il restait un test. Le dernier.

Je ne sais pas pourquoi je l'ai fait. La fatigue, l'espoir, le besoin de pleurer un peu plus cet enfant qui ne venait pas.

Je n'ai pas attendu les trois minutes. Rien n'apparaîtrait.

J'ai approché le bâtonnet de la poubelle, presque machinalement. C'est là que je l'ai vu, fin, léger, mais bien présent.

J'avais découvert la présence de notre enfant dans les toilettes.

Je faisais sans doute partie de ces femmes qui saignent lors de la nidification.

J'ai couru vers la chambre, j'ai allumé la lumière, j'ai sauté sur le lit en poussant des cris. Tu t'es redressé d'un coup, hagard. J'ai mis le bâtonnet plein d'urine sous tes yeux, plus près tu chopais une MST.

— Non ?

— Si !

— *Vraiment ?*
— *Oui !*
— *Oh putain !*
— *Oh oui, putain !*

Nous ne sous sommes pas rendormis. Toute la nuit, nous avons fixé le trait rose de peur qu'il ne s'évapore.
Nous étions devenus parents.

Chapitre 43

Il est près de minuit quand je regarde l'heure pour la première fois. Nous mangeons une glace près du manège. Sorbet ananas pour moi, menthe-chocolat-chantilly pour la figure de proue.

Ce soir, pour la première fois depuis des mois, le temps est passé trop vite. Maxime est drôle, ouvert, sensible. Attachant. Ses mots sont empreints de sincérité, il ne se cache pas derrière des conventions ou du maniérisme. Ça vient des tripes, directement, sans passer par la case raison.

Il avait douze ans quand ses parents sont morts dans un accident de voiture. Avec sa sœur, il a été placé en famille d'accueil. Il mangeait à sa faim, il était bien habillé, mais les seuls câlins qu'il recevait venaient du chien. Lorsque sa fille est née, elle est devenue sa priorité. Il a arrêté de travailler durant trois ans pour s'occuper d'elle. Quand la mère est partie, elle n'a pas tenté d'obtenir la garde de la petite. Elle s'est installée près de Marseille et la prend la moitié des vacances, ce qui convient tout à fait à Maxime. Quand on le regarde, c'est son sourire qu'on voit en premier. Ce qui se cache derrière est encore plus joli.

— Il est magnifique, ce carrousel ! dit-il en regardant les chevaux en bois peint.

— Il était déjà là quand j'étais petite, on venait toujours en faire un tour avec mon frère et ma sœur. À chaque fois que je le vois, je fais un bond en enfance.

Maxime se lève et me tend la main.

— Viens, on va en faire un tour !

Le mal de mer laisse des séquelles.

— Ça va pas ? C'est pour les enfants !

— C'est parfait, on est de grands enfants ! Allez, viens, on va pas arrêter de s'amuser parce qu'on vieillit !

Je reste immobile pendant qu'il va acheter des tickets. « Il faut se dépêcher, ça va fermer ! » dit-il en revenant.

— Mais il y a du monde… je murmure. Ça ne se fait pas !

Maxime regarde autour de nous. Un groupe d'ados est debout près d'une voiture et deux couples font coucou à leurs enfants qui chevauchent en musique.

— Viens, on s'en fout ! Ils ne feront même pas attention à nous et, s'ils le font, ils verront juste des gens qui s'amusent.

J'oppose une résistance silencieuse pendant quelques secondes encore, puis je cède à la gamine qui a pris le contrôle de mon corps. Tant qu'elle y est, elle me fait monter sur un dauphin. Maxime s'installe sur le cheval juste à côté. Le rebelle en carton.

Dès qu'on commence à tourner, j'oublie les gens qui nous entourent. J'oublie tout. Les paysages se succèdent, les vagues, la jetée, les pins, les vagues, la jetée, les pins. Ça sent l'iode, ça sent les gaufres, ça sent la liberté.

Tout au long du tour, je sens le regard de Maxime sur moi.

— Pourquoi tu me regardes ? je demande quand le dauphin ralentit.

— Pour rien.

— J'ai quelque chose sur le visage ?

— Ouais. De la joie.

Il est un peu gnangnan, mais il est mignon.

Chapitre 44

Les restaurants sont fermés, les rues se sont vidées. Restent quelques groupes d'amis et des amoureux qui traînent le pas pour repousser la fin d'un bon moment. Assis au bord de l'eau, les pieds dans le sable, le clapotis en musique d'ambiance, Maxime et moi échangeons des confidences.

J'attrape mes chaussures.

— Il est tard, je vais rentrer me coucher !

— Déjà ? Tu veux pas rester encore un peu ?

— Oh, il va me falloir une heure pour faire disparaître toute trace de sable de mes pieds, alors on a encore un moment à passer ensemble…

— Ah ouais ! Quand tu dis que t'es maniaque, tu ne mens pas !

— Je dois vraiment te rappeler que tu as *Libérée, délivrée* en sonnerie de téléphone ?

Il éclate de rire et lève les mains :

— OK, je me rends ! Mais, pour ma défense, c'est juste pour faire plaisir à ma fille. J'ai aussi un jeu pour élever des chiots.

— Je ne suis pas sûre que tu sois un garçon fréquentable.

Il reprend son sérieux et plante ses yeux dans les miens.

— Tu dis ça parce que t'as pas vu mes abdos.

Cette fois, c'est moi qui m'esclaffe. Hier encore, si quelqu'un m'avait dit que je passerais une soirée à rire avec un inconnu, et que je ne penserais pas à Ben pendant des heures, j'aurais cru que ce quelqu'un s'était drogué.

Au cours des dernières années, il m'est arrivé plusieurs fois d'imaginer que Ben disparaisse. C'était souvent lors d'insomnies, quand les pensées les plus « joyeuses » viennent nous tenir compagnie. Certaines nuits, il avait un accident de voiture, d'autres, il s'éteignait au terme d'un long combat contre la maladie, sa main dans la mienne. Je me disais alors que jamais, jamais, je n'aimerais un autre homme. Aucune autre personne sur cette planète n'était aussi parfaitement compatible avec moi. Même si cela existait, ça ne me disait rien, vraiment rien, de devoir tout recommencer. Connaître l'autre, son passé, son caractère, lui faire confiance, s'apprivoiser, apprendre à identifier ses humeurs… Certaines personnes se lassent, ont besoin de ressentir encore et encore les frissons des premières fois. Moi, ce qui me donnait le frisson, c'était de partager mon quotidien avec l'homme qui me connaissait mieux que n'importe qui, qui n'avait aucun secret pour moi, que je comprenais d'un seul regard, qui était dans chacun de mes souvenirs. Quand j'imaginais ma vie sans lui, l'angoisse me coupait le souffle. Mais il me suffisait d'entendre le sien, juste à côté de moi, pour être envahie de bonheur.

Ce soir, Maxime a fait tomber certaines de mes peurs. L'inconnu peut être agréable. Je peux rencontrer de nouvelles personnes et partager de bons moments avec elles. Même si elles sont fans de *La Reine des neiges*.

Il saute sur ses pieds pour m'aider à me lever. Il tire un peu trop fort sur mes bras, je me retrouve collée contre lui.

— J'ai pas envie de rentrer, murmure-t-il, la voix rauque.

Je recule d'un pas et frotte le sable sur mes jambes en prenant soin d'éviter son regard.

— C'était chouette. Mais il faut vraiment que j'aille me coucher.

— Tu viens boire un coup chez moi ? Enfin, c'est chez ma sœur, mais elle est partie à un mariage pour le week-end, j'ai l'appart pour moi.

— Non non, c'est gentil, Maxime, mais je préfère refuser.

— Comme tu veux.

Il ne cache pas sa déception. Je suis mal à l'aise. Je n'ai pas l'impression de lui avoir montré la moindre ouverture, mais j'ai dépassé la date de péremption en matière de relations amoureuses. Je le contrarie, et je n'aime pas contrarier les gens. Néanmoins, je ne suis pas persuadée qu'aller chez un homme pour ne pas le décevoir soit l'idée du siècle.

Sitôt remonté sur la promenade, Maxime enfile ses chaussures et se plante devant moi, qui procède à un nettoyage minutieux de mon gros orteil.

— T'es sûre que tu veux pas venir ? C'est juste un verre, ça n'engage à rien.

— Merci, Maxime, mais vraiment, non merci.

— OK, OK, j'insiste pas.

Heureusement qu'il le dit, parce que ça y ressemblait fortement.

Il me raccompagne jusqu'à la maison de la plage sans dire un mot. Il répond par monosyllabes à mes tentatives d'échanges. On dirait Jules quand je refuse de lui acheter un jouet.

Je m'arrête devant le portail.

— C'est ici ! Merci beaucoup pour la soirée, Maxime, c'était parfait. Ça faisait longtemps que je n'avais pas passé un si bon moment.

— Ce serait dommage que ça s'arrête comme ça, alors, dit-il avant de poser ses lèvres sur les miennes.

Avant que j'aie le temps de réaliser ce qui se passe, sa langue est dans ma bouche. Je le pousse doucement avant qu'il atteigne les amygdales.

— Maxime, je suis désolée…

— Laisse tomber, va, répond-il en s'essuyant la bouche du revers de la main.

— Tu le prends mal ?

— Disons que je comprends pas. On a passé une bonne soirée, je pense qu'on se plaît, je vois pas pourquoi tu veux pas me donner plus.

— Je pense t'en avoir déjà beaucoup donné, je suis désolée que tu le prennes comme ça.

— Pourquoi tu m'as appelé, au juste ?

— Comment ça ?

— C'est toi qui m'as appelé, on est d'accord ? Pourquoi tu l'as fait ?

Je reste bête quelques secondes, le temps de comprendre le sens de sa question.

— Parce que je pensais que passer une soirée avec un garçon sympa n'impliquait pas obligatoirement de coucher avec lui.

— T'avais bien compris ce que j'attendais, tu te doutais bien que je te donnais pas mon numéro pour jouer au Monopoly.

Je crois que je le préférais gnangnan.

— Tu devrais peut-être annoncer tes tarifs avant, ça t'éviterait d'être déçu.

— Et toi, tu devrais…

Il n'a pas le temps de finir sa phrase, le portail s'ouvre et Colombe apparaît, drapée dans une robe de chambre en satin blanc.

— Cher monsieur, je ne voudrais pas paraître discourtoise, mais avez-vous été élevé par des sangliers ?

Mes yeux passent de Colombe à Maxime. La figure de proue est rouge.

— Pardon ?

— Chez les humains, lorsqu'une personne dit non, cela signifie qu'elle refuse ce que vous lui proposez. Ma petite-fille ne veut pas de votre salive, vous sentez-vous capable de la garder dans votre bouche ?

Maxime éclate d'un rire mauvais et tourne les talons, sans un mot.

Pour la première fois de ma vie, je serrerais bien Colombe dans mes bras. Son regard freine mes élans.

— La prochaine fois, je te saurai gré de parler moins fort lorsque tu rencontres tes amants. Tu m'as réveillée, ma nuit est terminée.

Elle regagne la maison, sa robe de chambre volant derrière elle comme une cape de superhéros.

10 décembre 2010

Depuis trois mois, notre bébé n'était matérialisé que par un trait rose et un nombre sur les résultats d'une prise de sang.

Nous ne savions pas à quoi nous attendre, nous avions entendu tout et son contraire. Nous essayions de ne pas trop espérer de cette première visite à notre enfant.

Nous nous étions bien habillés : peut-être qu'il nous verrait à travers l'écran.

C'était étrange d'aimer autant quelqu'un que nous n'avions encore jamais vu.

Le médecin m'a demandé de m'allonger sur la table d'examen. Mes jambes tremblaient. Il a relevé mon tee-shirt et a appliqué du gel sur mon ventre plat, que j'observais chaque jour pour y déceler un renflement. J'ai ricané.

Nous nous tenions la main. Je ne te l'ai pas dit pour ne pas gâcher ce moment, mais tu n'étais pas loin de me broyer trois phalanges.

Le docteur a appuyé l'appareil sur ma peau et l'a fait glisser pendant plusieurs secondes. Sur l'écran, on aurait dit un film en noir et blanc dans le brouillard. C'était un « Où est Charlie » spécial futurs parents.

— Là, c'est son ventre, a dit le médecin en montrant un truc gris sur l'écran.

Nous avons hoché la tête. Il nous aurait dit qu'il y en avait quatre que nous l'aurions cru.

— Là, c'est la tête, et ici le bras. Il vient de bouger, vous avez vu ?

J'avais vu et, si j'en crois mes phalanges, toi aussi. Notre bébé, notre enfant, notre petit amour venait de faire un mouvement. C'est à cet instant que j'ai vraiment pris conscience qu'il vivait. Ma joie a dévalé mes joues.

Le médecin a pris des mesures, tout en commentant brièvement, puis il a appuyé sur un bouton, et un son a retenti. Un peu comme celui d'un cheval au galop.

Tu t'es mis à pleurer ; mes phalanges aussi, mais je m'en foutais. Nous entendions le cœur du petit bout de nous.

Chapitre 45

Petite, quand quelque chose me blessait, seul un câlin à mon doudou pouvait me réconforter. Aujourd'hui, le doudou est plus remuant et moins poilu, mais le processus est inchangé.

— Maman, tu m'étouffes !

Je libère Jules de mon étreinte en me promettant de réagir de la même manière la prochaine fois qu'il utilisera mon ventre comme un trampoline.

J'ai passé la nuit à me demander pourquoi j'avais appelé Maxime. Je n'ai pas trouvé la réponse, mais je crois que ça a un rapport avec le manque de confiance. Glaner quelques compliments pour récupérer deux ou trois points de confiance en moi, passer la soirée avec un homme charmant pour réapprendre à faire confiance aux autres. C'est loupé, sur tous les points. Je me déteste d'avoir utilisé Maxime. Je déteste Maxime de m'avoir flattée pour parvenir à ses fins. Je déteste Ben, qui m'abandonne dans la fosse aux lions après m'avoir habituée à vivre avec un chaton. Il n'aurait jamais fait ça.

Je lève les yeux vers lui. J'ai envie de lui dire que je l'aime, mais mes lèvres sont plus raisonnables.

— Ça s'est bien passé ?

— Très bien, pas vrai, mon grand ?

— On a ramassé des coquillazes, et puis on a manzé une glace, et puis on a fait du manèze !

J'espère qu'il n'y avait pas une femme bizarre sur le dauphin.

— Je peux te parler une minute ? demande Ben.

Il a les lèvres pincées et ne sait pas quoi faire de ses mains. Je n'aime pas ça.

— Jules, tu dis au revoir à Papa et tu rentres à la maison s'il te plaît ? Sydney t'attend, il y a une nouvelle bouée dans la piscine !

Il dépose une bise rapide sur la joue de son père et se dirige en courant vers le portail. Je l'imiterais bien, si je tenais sur mes jambes.

— On s'assoit sur le banc ? propose Ben.

C'est encore plus grave que je ne le pensais. J'ai la gorge sèche et des palpitations. S'asseoir est une bonne idée.

Je le suis en passant mentalement en revue toutes les possibilités. Il a trouvé quelqu'un. Il veut qu'on signe les papiers du divorce. Il est certain qu'il ne m'aime plus. Il va mourir. Je vais mourir. Il inspire un grand coup et se lance :

— Ça fait un petit moment que je pense à quelque chose, mais je ne sais pas comment t'en parler.

— Vas-y, je suis prête.

— Tu sais, la situation est difficile pour moi aussi. C'est pas la vie dont j'avais rêvé… J'ai essayé de m'habituer, mais c'est trop dur.

— Vas-y, Ben, dis-le.

Il regarde fixement un point sur le sol et débite à toute vitesse :

— Je veux la garde partagée de Jules.

20 mars 2011

Le premier jour du printemps, c'était une jolie date pour tirer sa révérence. Ta grand-mère paternelle était partie dans son sommeil. Nous étions une vingtaine à l'église.

Tu étais son unique petit-enfant. Au décès de ton père, tes grands-parents avaient rabattu tout leur amour sur toi. Tu étais leur petit roi, ils t'ont fait voyager, t'ont initié aux arts, aux autres, ils t'ont rendu meilleur. Tu passais toutes tes vacances chez eux, en Bretagne, tu y avais ta chambre, remplie de jouets, et leurs baisers, remplis d'amour.

Nous allions passer un week-end chez eux dès que nous le pouvions. Nous y étions allés deux mois plus tôt. Ta grand-mère s'était émerveillée de mon ventre qui bougeait, ton grand-père avait évoqué ses vieilles histoires de bureau que nous connaissions déjà par cœur, nous avions encore regardé des photos de toi enfant, tu le redevenais un peu quand nous étions avec eux. Ils nous avaient raccompagnés jusqu'au portail, comme toujours, et nous avaient fait au revoir de la main jusqu'à ce que nous ayons tourné au coin de la rue. Ces deux silhouettes voûtées qui deviennent de plus en plus petites sont la dernière image d'eux ensemble.

Tu étais inconsolable. Je faisais de mon mieux pour ne pas m'effondrer. Tout le monde était persuadé que ton grand-père partirait le premier. Lui aussi.

Il semblait plus petit que d'habitude dans son costume gris. Il portait la même cravate que pour leurs soixante ans de mariage, l'année précédente. Tu gardais ton bras autour de ses épaules. Je ne sais pas qui soutenait l'autre.

Il s'est avancé vers le pupitre d'un pas mal assuré. Je t'ai pris la main. Il a approché sa bouche du micro et il s'est adressé à elle une dernière fois.

« Ma chère Jeanne, ma douce épouse,

Victor Hugo disait : "Tu n'es plus là où tu étais, mais tu es partout où je suis."

C'est vrai. J'entends ta voix qui me réprimande d'avoir laissé traîner ma tasse, je vois ton sourire quand je me rase, je sens ton odeur sur l'oreiller. Tu es dans mon cœur, dans ma tête, tu es là, avec moi.

J'ai eu de la chance de traverser l'existence avec une personne extraordinaire. Merci pour ta tendresse, ton amour, ta patience, ton humour, ta résistance. Merci pour tout ce bonheur, merci d'avoir rendu ma vie plus belle.

Embrasse notre fils pour moi et dis-lui que je vous rejoins vite. Je suis juste derrière toi.

« À bientôt, mon tendre amour. »

Nous sommes restés avec ton grand-père jusqu'au soir, puis nous sommes rentrés.

Dans la voiture, tu as posé la main sur ma cuisse.

— Je ne supporterai pas de te voir partir avant moi.

— On est dans la merde, parce que moi non plus !

— Je suis sérieux. Je ne pourrai pas vivre en sachant que tu n'es plus là.

— On partira ensemble.

— OK. Médicaments ?

— Bonne idée. Mais faudra qu'on prévoie autre chose que des Doliprane.

Tu as souri.

— On s'en fout, on va vivre très vieux.

— Ouais. On partagera une chambre dans une maison de retraite et on stockera des plaques de chocolat sous notre matelas.

— Bonne idée ! Et on écoutera Nirvana en faisant des pogos avec nos déambulateurs.

— Et on se donnera la soupe à la petite cuillère.

— Tous les matins, je te maquillerai et je te coifferai !

— D'accord. Et moi, je te raserai la moustache.

— Ouais, moi aussi, je te raserai la moustache.

Le premier jour de l'été, ton grand-père tenait sa promesse à son tendre amour.

Chapitre 46

C'est toujours le même rêve.

La main de Ben est dans la mienne, je la retiens de toutes mes forces, mais elle glisse. Elle m'échappe. Lentement, inexorablement.

Cette fois, c'est différent. La main qui glisse est toute petite, je la connais par cœur. Je reconnais ces doigts, que j'ai tant caressés, ces ongles que je coupe en faisant bien attention, cette douceur qui n'appartient qu'aux enfants. Je n'ai jamais tenu aussi fort, je me séparerais de ma main pour que la sienne ne glisse pas. Mais elle s'échappe, elle s'enfuit, et je ne peux rien faire pour la retenir.

Quelque chose me rentre dans le nez.

Je me réveille en sursaut. Le jour s'est levé, des voix résonnent déjà dans la maison, j'ai dû dormir tard. Face à moi, Jules me regarde en souriant, son index enfoncé dans ma narine.

— Pourquoi tu fais le bruit du cosson quand tu dors ?

Je l'attrape et l'entraîne sous le drap pour le couvrir de bisous qui pètent. Il hurle de rire, je veux que ça ne s'arrête jamais.

Je comprends Ben. J'étais étonnée qu'il se contente de voir son fils quatre jours par mois. J'ai immédiatement accepté, parce que cela me semble normal, parce que cela fait partie de mes convictions. J'ai accepté, et puis je suis rentrée, j'ai vomi, je me suis couchée, et j'ai passé la nuit pliée en deux, de violents spasmes me tordant les entrailles.

— Je t'aime, mon chéri.

— Moi aussi, ze t'aime.

Et je t'aimerai toujours à plein temps.

14 avril 2011

Nous avons décroché les photos. Démonté le lit-mezzanine. Roulé le tapis. Trié le linge. Enlevé le canapé.

Le nouvel appartement avait trois chambres, une grande terrasse et des volets électriques. Mais, en vidant celui qui accueillait notre vie depuis près de dix ans, c'était une part de notre passé que nous laissions.

Ces murs avaient été l'écrin de notre histoire.

Dans ce lit, tu m'avais demandé si je voulais.

Dans cette salle de bains, je t'avais demandé si tu voulais.

Dans ces toilettes, j'avais su qu'on allait.

L'avenir s'annonçait lumineux, mais nous avions beau essayer, il manquait quelques dents à nos sourires. Le départ se faisait dans la douleur.

Il ne restait plus que nos sacs. Tous les meubles et les cartons étaient dans le camion. Nous étions seuls dans l'appartement vide. Nous avons fait un dernier tour en silence, comme pour enregistrer chaque détail dans notre carte mémoire, puis nous nous sommes dirigés vers la porte.

— Viens ! as-tu lancé en attrapant ma main.

Je t'ai suivi à travers la pièce à vivre, puis sur le balcon. Tu as sorti une clé et, en t'y prenant à plusieurs reprises, tu as gravé « P et B » sur le crépi. J'ai souri, puis j'ai pris la clé et j'ai ajouté un J.

Chapitre 47

Les vacances touchent à leur fin. Dans trois jours, nous serons rentrés. En arrivant, je ne savais pas si j'allais supporter l'inactivité et ma famille plus de vingt-quatre heures, aujourd'hui je pourrais y prendre goût. Me lever tard, faire la planche dans la piscine, lire à l'ombre des arbres, dormir avec mon petit frère, faire des câlins à Nonna, rire du caractère de Colombe, réapprendre à vivre avec mes parents, redécouvrir des qualités à ma sœur, tout ce que j'ai tenu à distance pendant des années est ce qui me permet maintenant d'avancer, un pas après l'autre. Mais ce qui compte le plus, pendant ces vacances, c'est le temps que je peux passer avec Jules. Je suis disponible. Pas de rendez-vous à ne pas oublier dans la tête, pas de lave-vaisselle à vider pendant qu'il me parle, pas de nounou à prévoir parce que je travaille. Je suis là, avec lui.

Ce matin, quand je lui ai demandé ce qu'il voulait faire, la réponse n'a pas tardé :

— Ze veux aller à la plaze.

Je n'ai pas grimacé, du moins pas extérieurement, et j'ai préparé le panier pendant qu'il allait chercher sa nouvelle bouée.

Le sable ne m'a pas dérangée, le sel non plus. Savoir que mon fils sera absent de ma vie la moitié du temps met en sourdine les choses insignifiantes et en exergue celles qui comptent. Ces derniers temps, j'ai souvent en tête une phrase qu'avait prononcée le docteur Pasquier lors de l'une de nos séances : « Vous avez de la chance d'avoir vécu une épreuve. Vous faites maintenant partie de ceux qui savent voir l'essentiel. » Sur le coup, j'ai failli lui en faire vivre une, d'épreuve, mais maintenant je vois ce qu'il veut dire. Je le ressens.

Cet après-midi, j'ai enregistré de précieuses minutes dans ma mémoire interne. Jules qui crie en voyant un crabe à ses pieds. Jules qui se jette dans l'eau en courant. Jules qui ramasse des coquillages « pour faire un collier à Maman ». Jules qui assure qu'il n'a pas froid en claquant des dents. Jules qui s'enroule dans la serviette et que je serre tout contre moi. Mon fils, mon tout-petit. Tu grandis tellement vite. Je ne peux pas étirer le temps, mais je peux lui donner plus d'épaisseur.

En repartant de la plage, nous faisons un détour par la rue piétonne pour manger une glace.

— Viens, chéri, on va s'asseoir sur le banc, sinon tu vas la faire tomber comme la dernière fois.

Pas besoin de le répéter. Mon digne fils, nez et menton chocolatés, s'installe à mes côtés.

— T'as passé une bonne journée, Jules ?

— Oui, z'ai plein de coquillazes ! fait-il en désignant son seau rempli de trésors.

Il me regarde, soudain très sérieux, et fronce les sourcils :

— T'es très zontille, Maman.

Je suis en train d'essayer de redonner une consistance normale à mon cœur quand j'aperçois mon père, qui avance d'un pas rapide dans notre direction. Je lui fais coucou de la main, mais il ne nous voit pas. Au moment où je vais me lever pour l'appeler, il regarde autour de lui et s'engouffre dans une petite rue. Je comprends immédiatement où il se rend. Dans cette rue, il n'y a qu'un seul commerce : le bar dans lequel nous l'avons surpris l'autre jour.

20 mai 2011

Tu m'as rejointe dans la salle de bains quand tu m'as entendue pleurer.

— Qu'est-ce qui se passe ?

Un pied sur la baignoire, appuyée sur ma cuisse, en grosse culotte de coton, j'étais à mon avantage.

— J'en ai marre, ai-je reniflé. Je suis énorme, il me faudrait une grue pour me lever, j'ai mal partout, et là, je voudrais me vernir les ongles de pied, mais j'y arrive pas…

— C'est normal, ma puce, t'es enceinte de huit mois !

J'ai continué à pleurer, c'était plus fort que moi, comme si tous les muscles de mon visage effectuaient un ballet que je ne contrôlais pas.

— Je sais, je suis heureuse d'attendre un bébé, mais parfois c'est dur ! Je ne rentre plus dans rien, bientôt je devrai m'habiller avec une nappe !

— Je comprends, mais c'est merveilleux de pouvoir porter la vie. J'aimerais pouvoir le faire !

— C'est vrai, c'est magique. J'adore sentir notre fils vivre en moi. Particulièrement quand il fait du trampoline sur mon périnée ou du karaté contre mes côtes.

Je me suis remise à pleurer. Voyant que l'attitude compréhensive ne fonctionnait pas, tu as adopté une autre solution.

Tu m'as entraînée dans le salon, tu m'as demandé de m'asseoir sur le canapé et de poser mes pieds sur la table, puis tu as dévissé le flacon de vernis et entrepris de colorer mes ongles.

Tu t'appliquais, en témoignaient ta langue qui se glissait entre tes lèvres et la durée du travail. Une heure et quart pour dix ongles, on tenait un record. Je n'avais pas le droit de regarder mes pieds, mais je sentais souvent le pinceau sur ma peau.

Avec beaucoup d'enthousiasme, tu as annoncé que tu avais fini.

J'ai regardé.

Mes pieds ressemblaient à un visage d'enfant qui vient de manger de la purée de carottes pour la première fois. J'avais des traces rouges jusqu'aux chevilles.

Tu t'es esclaffé, moi aussi. Tu n'avais pas embelli mes ongles, mais mon moral, si.

Chapitre 48

Emma et Romain sont aussi stressés que moi.

À mon retour, je les ai réunis dans la chambre. La décision s'est imposée : nous allions surprendre notre père dans le bar, en espérant que ce serait suffisant pour qu'il prenne conscience de la gravité de ses actes. L'alcool est un bourreau. Je ne veux pas que mon papa fasse partie de ses victimes.

— On va chercher des sardines pour ce soir ! lance Romain dans le jardin.

— Vous pouvez nous garder les petits ? demande Emma.

Jérôme et Nonna acquiescent pendant que Colombe fait semblant de ne pas entendre. Ma mère n'est pas encore rentrée de sa traditionnelle journée de plage.

Cette fois, nous partons à pied : trouver une place pour la voiture en pleine journée sera impossible.

Emma a l'air soucieuse :

— Il va nous en vouloir. Il va avoir terriblement honte…

— Putain, il a failli crever ! rage Romain. J'espère bien qu'il va avoir honte ! Popo, t'es pas d'accord ?

— Si. Mais je pense qu'il va avoir besoin d'aide.

Le reste du trajet se fait dans le silence. Je repense à toutes ces années durant lesquelles mon père a disparu dans une bouteille.

J'avais une dizaine d'années quand j'ai commencé à me rendre compte que quelque chose n'était pas normal.

Ma mère nous protégeait, elle faisait son possible pour que nous ne le voyions pas. Mais quand elle n'était pas là, j'étais celle qui empêchait les deux petits de sortir trop vite de l'enfance.

Il se cachait pour boire, comme si les effets n'étaient pas visibles. C'était facile de trouver la bouteille du jour : il suffisait de repérer où il allait. Je me souviens d'une fois, ma mère travaillait, on jouait tous ensemble au Monopoly. Il n'arrêtait pas de se rendre aux toilettes. À chaque fois qu'il en sortait, il était un peu plus ivre. J'y suis allée à mon tour, j'ai ouvert le placard où on rangeait le papier et les produits nettoyants, elle se dressait là, fière, arrogante. Je l'ai vidée dans la cuvette pour qu'elle arrête de nous narguer. Le lendemain, c'était dans le garage. Puis dans la panière à linge sale. Et quelques gouttes dans le café.

Il s'endormait l'esprit, il s'engourdissait les sentiments. Il voulait sans doute oublier des choses que nous étions trop jeunes pour connaître. Il ne se contentait pas d'être grisé. Il fallait qu'il soit déchiré. Les yeux qui peinent à rester ouverts, la bouche qui ne sait plus articuler, le corps qui tangue et le cerveau qui rame. Je le revois, assis à côté de la chaîne dans laquelle il insérait une cassette de vieilles chansons mélancoliques, les épaules basses, la tête pendante. L'ivresse, c'est l'endroit où vont ceux qui ne veulent être nulle part. C'est l'endroit où on peut mourir un peu, mais pas tout à fait.

C'est violent, pour un enfant, de voir son père se mettre volontairement dans cet état. J'ai dans la tête des images que j'aurais aimé ne pas garder. Je ne me souviens plus de la fête d'anniversaire de mes dix ans, mais je revois très précisément mon père essayer d'allumer une cigarette en la mettant à l'envers dans sa bouche et en tenant le briquet allumé à vingt centimètres de la tige. J'ai oublié le jour où j'ai reçu une médaille de natation, mais je le revois m'emmener dans un bar sur le porte-bagages de sa mobylette et me faire promettre de n'en parler à personne. Je ne me rappelle pas comment j'ai su que j'avais eu mon bac, mais je sens encore le poids de mon père sur mon épaule quand je l'aidais à rentrer dans la maison. Je ne sais plus quels sont les derniers mots que m'a dits mon grand-père adoré, mais je n'oublierai jamais le corps de mon père étendu dans le couloir, qui ne répond pas à mes cris.

Je suis fière de lui. Il a réussi à combattre ce monstre, il l'a mis à terre et lui a coupé la tête. Pourvu que ce ne soit pas comme la queue des lézards.

Nous arrivons devant le bar. Je regarde ma sœur et mon frère, ils ont quatorze et neuf ans et je dois les protéger. J'entre la première.

Il y a plusieurs familles attablées autour de crêpes ou de coupes glacées. Il y a des hommes assis au comptoir. Il y a les clients qui achètent leurs cigarettes. Il y a le grand barbu derrière le bar, qui nous observe. Il n'y a pas mon père.

— Il n'est pas là, dit Emma avec soulagement.

— Attends, on va demander.

Je m'approche du bar et m'adresse au grand barbu :

— Bonjour, monsieur, on cherche notre père, on l'a vu entrer dans votre bar plusieurs fois. Il n'est pas très grand, 1,73 mètre, les cheveux gris, un peu dégarni, il porte un bermuda beige et un tee-shirt noir.

Le type me regarde comme si je parlais moldave.

— Attendez, je vais vous montrer une photo, intervient mon frère.

Il sort son téléphone et fait défiler les images jusqu'à ce qu'il trouve la bonne. Il montre l'écran au barbu :

— Tenez, c'est lui !

C'est une photo au bord de la piscine. Mon père porte des lunettes de soleil et une casquette. Je secoue la tête :

— Ah ben oui, ça va l'aider ! T'en as pas une avec une cagoule plutôt ?

Tous ceux qui sont assis au bar sont tournés vers nous. Nous sommes l'attraction du jour.

— Je vois qui c'est, affirme le barman.

Si l'espoir était visible, on le verrait s'envoler. C'est donc vrai.

— Qui me dit que vous êtes ses enfants ?

— On n'a pas des tronches d'inspecteurs du FBI, si ? ricane mon frère. Vous pouvez nous aider ou non ?

L'homme nous scrute pendant quelques secondes en lissant ses longs cheveux de la main, puis désigne l'escalier au fond de la pièce.

— Il est en haut, à l'hôtel.

— Pardon ? s'écrie ma sœur. Qu'est-ce qu'il fait à l'hôtel ?

Des rires gras s'élèvent autour de nous. Demis Roussos soupire.

— Qu'est-ce que vous voulez qu'il fasse, en plein après-midi, avec une femme, dans un hôtel ?

5 juin 2011

La sage-femme nous avait prévenus : notre fils allait bientôt arriver.

Les petits vêtements étaient lavés, repassés et rangés. La chambre était décorée, nous avions passé des jours à peindre des collines et des animaux sur les murs, à accrocher les cadres et les mobiles, à préparer le lit, à essayer de caser tous les doudous. La valise pour la maternité était bouclée. Nous étions prêts. Nous avions hâte.

Il était 21 heures. J'étais en train de manger une glace au chocolat quand une douleur m'a déchiré le bas-ventre.

Nous avions eu une fausse alerte quelques jours auparavant, nous avons donc attendu de voir si cela se reproduisait. Vingt minutes plus tard, il n'y avait plus de doute.

J'ai hurlé :

— C'est le moment, on y va !

J'avais la voix presque assurée du chaton qui veut imiter le lion.

— Je peux me doucher avant de partir ? as-tu demandé.

Je n'ai pas eu besoin de répondre. Le regard du chaton t'a suffi.

Durant le trajet jusqu'à la maternité, tu n'as pas allumé la radio. À intervalles réguliers, de plus en plus rapprochés, je me prenais pour la Castafiore.

À chaque bosse, à chaque dos-d'âne, je grognais.

Il t'en aurait fallu davantage pour abandonner ton sourire béat.

— C'est pour accoucher ? a demandé la sage-femme de l'accueil.

J'ai rugi. Il se peut que j'aie eu quelques difficultés à gérer la douleur.

On nous a installés dans un box pour vérifier s'il ne s'agissait pas encore d'une fausse alerte. Ce n'était pas le cas, ils nous ont transférés en salle d'accouchement. C'est à ce moment-là que j'ai commencé à avoir peur.

— Je vais mourir, ai-je soufflé pendant qu'ils installaient le monitoring autour de mon ventre.

Tu m'as caressé la tête doucement.

— Mais non, tu ne vas pas mourir.

— Toi, en revanche, c'est moins sûr si tu me contredis encore.

Tu as ri. Moi aussi, juste avant qu'une contraction me plie en deux.

J'ai demandé la péridurale à la sage-femme. Elle a répondu qu'il fallait attendre encore un peu, je n'étais pas assez dilatée.

J'ai eu envie de lui dilater la tronche, mais je sais me tenir.

J'ai essayé de respirer avec les techniques que nous avions apprises durant les cours de préparation à l'accouchement, tout en chassant les images qui m'assaillaient.

La taille de la tête d'un bébé, la taille de mon vagin, un carré qui essaie d'entrer dans un rond, du sang…

Ma mère avait fait une hémorragie lors de la naissance de Romain. Elle avait failli mourir, les médecins avaient annoncé à mon père qu'elle ne passerait sans doute pas la nuit. J'avais sept ans et un événement censé être joyeux se transformait en cauchemar. Quand elle était rentrée, après une longue hospitalisation, j'avais pris la décision de ne jamais prendre ce risque. Et là, un bébé utilisait sa tête comme un bélier contre la porte de mon intimité.

Deux heures que nous étions là. J'avais faim, j'avais soif, j'avais mal, mais je n'avais pas le droit de manger, je n'avais pas le droit de boire, je n'avais pas droit à la péridurale.

Nous alternions entre attente, marche dans les couloirs pour aider le col à s'ouvrir, discussions autour de notre vie à trois, gémissements de douleur. À intervalles réguliers, quelqu'un venait vérifier si le travail avait avancé. Une fois, ils sont venus à trois. Journée portes ouvertes de mon vagin.

Tu n'avais pas les contractions, mais tu partageais mon anxiété. Tu allais devenir père. Depuis plusieurs mois, tu lisais tous les livres traitant du sujet, tu regardais des émissions, tu prenais conseil auprès de tes copains qui étaient déjà passés par là. C'était attendrissant de te voir mettre toutes les chances de ton côté pour faire au mieux.

— J'appelle l'anesthésiste, on va pouvoir poser la péridurale, a dit la sage-femme.

Je crois que je lui ai répondu que je l'aimais.

Au bout d'une heure, la douleur avait presque disparu. Grâce au monitoring, le cœur de notre enfant résonnait dans la pièce, c'était l'un de ces moments magiques qui restent à jamais dans nos mémoires. Je t'ai pris la main et j'ai levé les yeux vers toi.

— Je t'aime.

— Moi aussi, je t'aime.

Nos souvenirs seraient parfaits.

— Tu es l'homme de ma vie.

Tu as hoché la tête.

— Je suis vraiment heureuse de vivre ça avec toi. Tu es l'homme le plus merveilleux au monde.

Tu as souri et tu m'as embrassée. Puis tu t'es assis dans le fauteuil au pied du lit, tu as ouvert ton sac à dos et en as sorti des biscuits, une bouteille de Coca et ta console de jeux portable.

— Ça te dérange pas si je mange un peu ? J'en peux plus.

Je me suis demandé si une procédure de divorce entacherait beaucoup nos souvenirs. Je n'ai pas eu le temps de savoir, la sage-femme est entrée dans la pièce pour évaluer l'évolution du travail.

— Ça avance bien. Votre bébé ne devrait plus tarder !

Tu as posé ta console et le gâteau et tu es venu à mes côtés. Nous sommes restés là, main dans la main, pendant plus d'une heure, à savourer ce moment que nous avions tant imaginé. Ce n'était pas si terrible, finalement, je me suis dit. Et puis, j'ai senti que quelque chose se passait en bas de mon ventre.

Ce n'était pas si terrible. La bonne blague.

Chapitre 49

Le barbu a accepté de nous laisser monter.

Chambre 12. Nous sommes plantés devant, à ne pas savoir si nous devons frapper, ouvrir ou nous enfuir. C'est l'un de ces moments où on sait que la seconde d'après tout sera différent. Emma nous prend la main doucement.

— Allez, on y va, chuchote Romain.

Je hoche la tête en silence, mais nous n'avons pas le temps de taper que la porte s'ouvre sur notre père, l'air extatique. Son sourire s'évanouit quand il nous voit. Un lapin pris dans les phares.

— Qu'est-ce que vous faites là ? Il est arrivé quelque chose ?

La porte s'ouvre en grand et une femme apparaît derrière lui.

— Maman ? s'étonne mon frère.

— Maman, qu'est-ce que tu fais là ? je répète.

La scène est figée, si on la prenait en photo on pourrait imaginer plusieurs légendes. Les parents surpris dans une chambre d'hôtel par leurs enfants. Les enfants surpris par leurs parents encore sexuellement actifs. La famille Lapindanslesphares au complet.

— Venez, on va discuter, propose mon père en retournant à l'intérieur de la chambre.

Nous le suivons, soulagés. La maîtresse de mon père n'est ni une bouteille ni une étrangère à qui j'aurais été obligée de casser le nez.

La décoration est sommaire mais élégante, contrairement à ce que laissait présager l'accueil. Emma, Romain et moi sommes tous les trois assis sur le lit, à rire nerveusement. Nos parents sont debout face à nous, dans le même état.

— Comment vous avez su ? demande mon père.

— On sait rien du tout, répond Emma.

Ma mère glousse :

— Vous voulez dire que vous vous êtes retrouvés par hasard devant la porte de la chambre ?

— On croyait que Papa te trompait, balance Romain.

— Quoi ?

— Pas tout à fait, j'ajoute. Au début, on pensait que t'avais recommencé à boire.

— Hein ?

Devant leur air ahuri, nous rions de plus belle, et nous leur expliquons toute l'histoire. Les premiers doutes, la filature, le bar, les absences répétées, son désir d'être seul.

— Pourquoi vous venez là, alors ? demande Emma.

— Pour jouer au Scrabble, ma chérie, répond ma mère très sérieusement.

Tout le monde se remet à rire. Elle poursuit :

— Cela fait plus de quarante ans qu'on est mariés. On avait besoin de retrouver un peu de piment, alors on s'offre des petites escapades secrètes.

Mon père la regarde comme si elle était recouverte d'or.

— On a eu raison, ça nous a donné un deuxième souffle !

— Avec le quotidien et les habitudes, on a tendance à s'oublier un peu. C'est paradoxal, on est ensemble la plupart du temps, mais sans l'être vraiment. Ici, il n'y a rien d'autre que nous. On en avait besoin, c'était compliqué ces derniers temps…

— Ah bon ?

C'est moi qui ai dit ça, un peu plus fort que je ne l'aurais voulu. J'ai toujours vu mes parents comme un couple idéal. Séparément, ils sont faillibles. Ensemble, ils sont indestructibles. Après tant d'années, ils s'embrassent encore, et pas uniquement le baiser automatique et sec en guise de bonjour. Tous les week-ends, depuis toujours, mon père porte le petit déjeuner au lit à ma mère. En contrepartie, elle rit à toutes ses blagues, même les moins drôles. Tous les soirs, ils s'aident mutuellement à terminer leurs mots fléchés, puis ils vont se coucher pour lire à quatre yeux le livre du moment. J'ai vu mon père pleurer parce que ma mère était triste. J'ai vu ma mère masser le corps endolori de mon père pendant sa chimio. Quand elle est partie, pas une seule seconde je n'ai envisagé que ce soit peut-être par rapport à lui. Je ne les vois pas comme un couple, mais comme une entité. Jamais je n'aurais pu imaginer qu'il leur arrivait de traverser des zones de turbulences.

Quand nous nous disputions, avec Ben, cela me mettait dans tous mes états. Ce n'était pas normal. Quand on s'aime, on ne se fait pas la gueule. Il disait que j'idéalisais trop le couple de mes parents. Son père était décédé depuis longtemps, je pensais qu'il lui manquait un modèle. Et si je m'étais trompée ? Peut-être que j'ai placé la barre trop haut, dans la zone inaccessible. Peut-être que j'ai été trop exigeante. Et si Jérôme avait raison ? Si tout était ma faute ?

— Comme tous les couples, répond ma mère en haussant les épaules. Il y a des périodes où c'est difficile de se supporter, des remises en question. Pour tout vous dire…

Mon père se racle la gorge pour l'interrompre. Il croit que nous avons encore six ans. Bientôt, ils vont parler en anglais pour qu'on ne comprenne pas.

— Pour tout nous dire ? demande Romain.

— Non, rien.

— Maman, dis-nous ! s'exclame Emma.

Je n'insiste pas. J'ai compris ce qu'elle allait dire, et je n'ai pas envie de le savoir. Je n'ai pas envie de savoir que le couple formé par mes parents n'est pas parfait.

— On a failli se séparer l'année dernière, lâche mon père. On avait pris rendez-vous avec un avocat, et puis Thierry et Nadine nous ont conseillé de faire une thérapie conjugale. Ça avait marché pour eux. On n'y croyait pas du tout, mais ça nous a aidés à voir les choses d'un autre point de vue.

— Ça nous a fait beaucoup de bien, confirme ma mère. Il nous a prescrit des moments ensemble. À la maison, on essaie de trouver le temps, mais, avec mon travail, c'est difficile. On s'est dit que ces vacances étaient l'occasion en or. Vous êtes rassurés ?

Mon frère et ma sœur acquiescent en riant. Il me faut encore une confirmation :

— Vous n'allez pas divorcer, alors ?

Ma mère soupire :

— Mais non ! Arrête d'être toujours angoissée, Pauline, prends un peu la vie comme elle vient ! On ne peut pas tout maîtriser. Si ça se trouve, on va tous se faire écraser par un camion en sortant d'ici !

— Si on pouvait attendre que je vous aie annoncé la bonne nouvelle, ça m'arrangerait ! dit Emma.

Le silence tombe comme un rideau sur la scène.

— Tu vas écrire un autre livre ? demande mon père, les yeux écarquillés.

Elle sourit.

— Non, je suis enceinte ! Ce n'était pas prévu, c'est le retour de couches, mais on est très heureux. Ça fait trois mois aujourd'hui, j'attendais pour vous l'annoncer !

— Encore ? fait ma mère avant de se reprendre. Félicitations, ma chérie !

Romain l'embrasse à la suite, puis c'est mon tour. Je la prends dans mes bras et la serre fort. Elle glisse ses lèvres à mon oreille et me souffle un « pardon » qui se fracasse contre mon cœur.

5 juin 2011

— *Allez-y, poussez plus fort !*

— *Mais je suis à foooond !*

— *Mais non, vous pouvez pousser encore !*

— *Mais je vous dis que noooooon !*

— *Allez, on inspire un grand coup, et on pousse ! La tête est là !*

— *Gnnnnnniiiiiii (je fais des bruits bizarres quand je pousse).*

— *Allez, ma puce, tu vas y arriver !*

— *Je te hais ! C'est ta faute, tout ça !*

— *Allez, madame, on respire un peu, et on recommence. Allez !*

— *Je n'ai plus de forces… laissez-le dedans, tant pis.*

— *Allez, on y est presque, encore un petit effort !*

— *Gniiiiiiiiiiiiiiii*

— *Allez, plus fort, madame !*

— GNIIIIIIIIIIIIIIII !

— *Encore un peu !*

— *Je peux plus, laissez tomber. Je savais qu'il ne pourrait pas sortir.*

— Allez, on lâche pas ! Allez !

— Ça va aller, ma puce, t'es la plus forte !

C'est pile à ce moment-là que sont sortis de ma bouche des mots que l'on peut qualifier de grossiers. Je me suis étonnée moi-même, je ne savais pas que j'en connaissais autant.

Et puis…

Notre petit amour a pris sa première gorgée d'air.

5 juin 2011, 16 h 41. Jules faisait partie du monde.

Il n'y avait pas un bruit. Juste sa petite voix éraillée que le silence écoutait.

Tu as coupé le cordon, puis la sage-femme a posé notre fils sur ma poitrine. Bienvenue, mon amour. Bienvenue, mon petit homme.

La douleur avait disparu, la peur aussi. Il était là, contre moi, ses minuscules mains qui s'agrippaient, sa tête recouverte de cheveux bruns, et ses yeux, ses yeux merveilleux qui ont croisé les miens. C'était comme si on se reconnaissait. Nous étions ses parents. C'était notre fils.

— Bonjour, petit Jules.

Rien ne serait plus jamais pareil. Tout avait un sens.

Nous sommes restés un moment comme ça, tous les trois, nos mains liées sur le petit être qui venait de rejoindre notre famille. Si à la fin de ma vie je ne peux emporter qu'un souvenir, ce sera celui-là.

La sage-femme a emmené Jules pour le peser, le mesurer et l'habiller. Tu as enfoui ton visage dans mon cou et tu m'as serrée de toutes tes forces.

— Merci mon amour.

— Merci à toi.

Chapitre 50

— Ça va, toi ? me demande mon frère lors du traditionnel débriefing du soir.

Allongés dans le lit, les yeux au plafond, on se repasse en boucle la scène surréaliste de l'après-midi.

— Ça va très bien, pourquoi ?

— Tu sais pourquoi.

— Pas envie d'en parler. Je suis contente pour Emma, sincèrement.

— OK. Si t'as besoin, je suis là.

— Merci, petit frère. Et toi, quand est-ce que tu comptes présenter Thomas aux parents ?

— Quand ils seront prêts.

Je m'appuie sur un coude et le regarde.

— Quand *tu* seras prêt, nuance. Je ne vois pas pourquoi ils auraient un problème avec Thomas.

— En dehors du fait qu'il a un pénis, tu veux dire ?

— Ça pourrait être pire. Il pourrait avoir un micropénis.

Romain fait une moue choquée. Je m'esclaffe.

— Non, mais tu sais bien, poursuit-il, ils n'ont pas super bien réagi quand je leur ai annoncé que j'aimais les hommes…

— C'était il y a dix ans ! J'espère que, depuis, leur esprit s'est un peu ouvert.

— Tu parles ! Je suis sûr qu'ils sont allés voir un sorcier pour me libérer du mal.

Je me souviens de cette annonce. Romain avait déboulé chez Ben et moi, effondré. Il avait dix-huit ans et envie de crier au monde entier qu'il était amoureux. Il s'était arrêté à deux personnes.

Mes parents ont été choqués. Ils ne s'y attendaient pas, ils ne l'avaient jamais envisagé. Ma mère a pleuré, mon père a demandé s'il était sûr de lui, s'il n'y avait pas une chance que cela change. Mon frère a appris ce soir-là que le bonheur des uns s'arrêtait là où la gêne des autres commençait.

Ils l'ont rappelé dans la soirée, ils se sont excusés, ils ne lui en voulaient pas, ils l'aimaient quand même, il restait leur fils, ce n'était pas sa faute, autant de paroles maladroites qui n'ont fait que renforcer son sentiment de rejet. Il ne leur en a plus jamais parlé. Ils savent qu'il vit avec Thomas depuis des années, ils lui ont proposé plusieurs fois de le recevoir, il n'a jamais voulu.

Je lui caresse le bras.

— Tu sais, il n'y a pas longtemps, Papa m'a dit qu'il s'en voulait beaucoup. Il affirme qu'ils ont eu peur pour toi. Ça n'excuse rien, ils ont mal réagi, mais je crois qu'ils sont prêts.

Deux petits coups tapés coupent la parole à Romain. La porte s'ouvre et mon père entre, suivi de ma sœur.

— Je peux vous parler ? demande-t-il. Je n'arrive pas à dormir, j'ai croisé Emma dans la cuisine, j'ai pensé que c'était le bon moment pour vous réunir.

Ils s'assoient tous les deux au pied du lit. Mon père arbore un air sérieux que je lui ai rarement vu. Il s'éclaircit la voix et se lance, en nous regardant à tour de rôle :

— Je suis désolé, mes enfants. Cet après-midi, dans cette chambre d'hôtel, j'ai vu la détresse dans vos yeux. C'est ma faute. Je n'avais pas pris conscience de l'impact que tout cela avait eu sur vos vies. Je vous ai fait endurer des choses qu'aucun père ne devrait faire endurer à ses enfants. J'aimerais pouvoir revenir en arrière pour tout effacer, mais je ne peux pas. Je vais tenter de vous expliquer, peut-être que vous me comprendrez et, surtout, que vous ne ferez pas les mêmes erreurs.

Nous sommes pendus à ses lèvres, comme quand il nous lisait une histoire. Cette fois, il s'agit de la sienne. Il poursuit :

— J'ai toujours vu mon père boire. Il était déjà plein quand il rentrait de l'usine. On savait à la façon dont il garait la voiture dans le jardin s'il avait l'ivresse joviale ou agressive. C'était souvent la seconde. Une fois, il a cassé la guitare de mon frère sur la tête de ma sœur. Elle a encore une cicatrice douloureuse sur le crâne. Une autre fois, il a essayé de se pendre avec le rideau de douche, tout lui est tombé dessus. Ça ne nous choquait pas, c'était notre quotidien. La normalité, pour nous, c'était de boire de l'alcool. J'ai pris ma première cuite à onze ans. À quatorze ans, avec mes frères et mes copains, on traînait dans les bals, toujours une bouteille à la main. On buvait pour faire la fête, pour se donner le courage d'aller affronter les bandes rivales. À vingt-cinq ans, j'ai connu votre mère. Le coup de foudre. On a emménagé ensemble, elle, moi et ma maîtresse à robe rouge. Votre mère ne l'aimait pas, j'ai commencé à la cacher. J'ai essayé de la mettre dehors plusieurs fois, de la sortir de ma vie, mais elle revenait me narguer. Je la détestais autant que je l'adorais. Son goût, son odeur, ses effets. Et puis, tu es arrivée, Pauline. Ma puce. Avec tes sourires édentés et ta petite main qui s'agrippait à la mienne. Je suis allé voir un spécialiste pour qu'il m'aide à me sevrer. Et puis deux. J'ai essayé trois traitements, j'ai même fait une cure. Le vin était plus fort que moi.

Il inspire un grand coup. Je jette un coup d'œil à Romain et Emma. On n'est pas loin de se transformer en flaque. Il reprend :

— J'ai honte de moi. Je ne pensais qu'à ça. Ça passait avant tout, même avant vous. Pauline, ta cicatrice sur le front, c'était ma faute. Je t'ai laissée monter tout en haut de l'arbre sans te tenir, j'étais ivre mort. Emma, quand je te gardais, je te mettais devant la télé pour pouvoir boire tranquille. Et toi, Romain, une fois, je t'ai oublié. Tu as attendu devant l'école que Maman vienne te chercher après son travail. Il faisait nuit. J'ai été un père minable. Je n'ai même pas la fierté de dire que j'ai arrêté pour vous. J'ai arrêté parce que je suis tombé malade et que j'ai eu peur de mourir. Je suis désolé, j'aurais voulu vous offrir une autre image paternelle. J'ai été faible. Mais je veux que vous soyez sûrs d'une chose. Que vous n'ayez aucun doute. L'alcool et moi, c'est fini. Jamais je ne replongerai. Je ne peux pas réparer ce que j'ai cassé, mais je peux faire en sorte de ne pas vous abîmer davantage.

Il baisse la tête et ne dit plus rien. Il a tout déballé, d'un trait, comme si ça urgeait, comme si ça le brûlait de l'intérieur. Emma est la première à réagir. Doucement, en silence, elle passe les bras autour de son cou et pose la tête sur son épaule. Romain traverse le lit à quatre pattes et fait la même chose. Je les observe quelques secondes, pour ne jamais oublier, et je les rejoins.

Chapitre 51

J'ai les pieds dans les étriers. Face à moi, assis dans des fauteuils en velours rouge, la sage-femme, Ben et sa mère m'observent en mangeant du pop-corn, des lunettes 3D sur le nez. On frappe à la porte, Winnie l'Ourson entre dans la chambre et s'approche de moi, un pot à la main.

— Vous êtes dilatée à huit, ça ne devrait plus tarder. Je vous mets un peu de miel dans la perfusion, ça accélérera le travail.

Les contractions sont de plus en plus rapprochées. À chacune, un nain de jardin passe devant la fenêtre en volant. Tout à coup, la sage-femme se lève et me rejoint en glissant sur ses patins à glace.

— Allez, poussez, madame.

— Pousse, chérie, pousse ! m'encourage Ben en pressant les boutons d'une manette de jeu.

Ma belle-mère sort un micro de son décolleté et se met à chanter :

— Pouss' Mousse, on pousse et ça mousse, qu'elle est douce, cette mousse, c'est bien plus malin pour se laver les mains !

Je pousse de toutes mes forces.

— *Push, push, I can see his head !* hurle la sage-femme.

Un dernier effort et il est là. Ben coupe le collier de perles qui nous relie. La sage-femme le pose sur moi. Il est magnifique. Des poils soyeux, un bleu parfait, des oreilles immenses et un air penaud qui donne envie de le croquer.

— Comment voulez-vous l'appeler ?

Ben me regarde, ému, et nous répondons ensemble, comme une évidence :

— Bourriquet.

Je n'ai pas le temps de voir la suite, un bruit sourd m'extirpe de ce rêve insensé. Romain se lève d'un bond.

— Putain, c'est quoi ?

— Je crois que quelqu'un a tapé à la porte.

— Ça devient une habitude… grommelle-t-il en ouvrant.

De l'autre côté, Emma et Jérôme sont livides.

— Vous pouvez venir nous aider ? Milan a disparu.

21 septembre 2011

Nous avions pris la décision le jour de la naissance de Jules. C'est toi qui avais proposé, j'avais immédiatement accepté. Salopes d'hormones.

J'avais failli annuler mille fois, mais tu m'avais rassurée. C'étaient juste trois lettres, ce serait rapide, à peine le temps de cligner les yeux et le tatouage serait sur ma peau. Tu inspires confiance. Tu pourrais vendre du shampoing à Harry Roselmack.

Le tatoueur arborait une mèche de rockeur sur la tête et un cahier de coloriage sur la peau. Assis dans un fauteuil, il buvait un café en discutant avec l'un de ses amis, qui nous observait de la tête aux pieds, se demandant sans doute ce que nous venions faire là, avec nos habits du dimanche. Juste avant, nous avions enfin eu un rendez-vous avec une assistante maternelle pour Jules, il était hors de question que nous y allions en guenilles. J'ai failli leur dire que j'avais déjà eu des tatouages au henné, que j'avais les oreilles percées et qu'il m'arrivait de porter des jeans, mais je me suis tue. Quand je vais chez le gynécologue, je ne lui dis pas que j'ai déjà fait des frottis.

Le tatoueur s'est levé.

— Qui veut passer en premier ?

Tu as répondu très courageusement :

— Elle !

— Pourquoi moi ?

— La galanterie.

J'allais réclamer une anesthésie générale lorsqu'il m'a dit d'enlever mes vêtements. J'ai ôté le haut, pour voir mes reins c'était suffisant, il a dit de retirer le bas aussi. Je lui ai demandé pourquoi. Il m'a demandé pourquoi pourquoi. Je t'ai regardé, tu te mordais les lèvres pour ne pas éclater de rire. Tu savais. J'ai rentré le ventre, fait glisser ma jupe sur mes hanches, et je l'ai enlevée. J'ai cru entendre sa voix chevroter quand il m'a expliqué où il allait piquer exactement. Je t'ai regardé de nouveau, tu t'essuyais les yeux.

Le matin, avant de partir à notre rendez-vous avec l'assistante maternelle, nous étions en retard. Très en retard. En sortant de la douche, j'avais enfilé les vêtements que j'avais préparés la veille, les yeux à moitié fermés de sommeil. C'est en allant aux toilettes dans la matinée que j'avais réalisé que la culotte que je portais s'était vraisemblablement battue avec un tigre dans la machine à laver. À l'arrière, sous l'élastique, trônait un trou qui n'avait rien à envier au gouffre de Padirac.

Le tatoueur n'a pas ri. Il était professionnel.

Il a encré nos trois initiales au bas de mon dos, Jules, toi et moi, puis il m'a laissée me rhabiller et s'est occupé de toi.

Tu avais choisi l'intérieur du biceps. Pas besoin de montrer ton caleçon. Tu as retroussé ta manche, le tatoueur t'a dit d'enlever ta chemise. Tu as demandé pourquoi, il a demandé pourquoi pourquoi. Au moment où tu t'es mis torse nu, j'ai clairement vu la solitude passer dans ton regard. Je me suis mordu les lèvres pour ne pas rire.

Le week-end précédent, tu avais passé une journée à la plage avec Nathalie et Marc. C'était la première fois que tu prenais du temps pour toi depuis la naissance de Jules. Il faisait chaud. Très chaud. Tu t'étais endormi en plein soleil. Marc avait eu la gentillesse de te mettre de l'écran total. Ce qu'on a vu après, c'est qu'il ne l'avait pas appliqué uniformément, mais qu'il avait pris ton torse pour un tableau. Tu arborais donc depuis trois jours un magnifique dessin blanc sur fond rouge.

Après avoir fini son travail, le tatoueur nous a donné les recommandations pour la cicatrisation, et il nous a raccompagnés à la porte en nous disant que nous faisions un couple très assorti.

Nous avons fait mine de ne pas comprendre, puis nous sommes rentrés chez nous en riant comme des gamins, dans nos habits du dimanche qui cachaient une culotte minable et un pénis éphémère.

Chapitre 52

— Calme-toi et recommence, dit mon père à Emma.

Ma sœur est assise sur le canapé et parle à toute vitesse. Nous sommes tous réunis autour d'elle, aussi frais que nous puissions l'être à 6 heures du matin.

— Mais il faut aller vite, chaque minute compte !

Ma sœur a le sens de la mesure. Jérôme lui presse l'épaule et prend le relais :

— Exceptionnellement, Milan avait la permission de minuit. On s'est endormis avant, on lui fait toute confiance. Il n'a jamais dépassé l'heure. En allant aux toilettes, je suis passé devant sa chambre. La porte était ouverte, il n'était pas dans son lit. Son portable sonne dans le vide.

— Il lui est forcément arrivé quelque chose, se lamente Emma. Ce n'est pas son genre. Je l'aime comme mon fils, je ne m'en remettrai jamais…

Colombe lève les yeux au ciel.

— Devons-nous prévenir les pompes funèbres ou attendons-nous d'avoir retrouvé le corps ?

— Maman ! s'offusque ma mère.

— Ce n'est tout de même pas ma faute si ta fille a le cerveau qui baigne dans la confiture de coings.

— Vous savez où il devait aller ? demande mon frère.

Jérôme secoue la tête.

— Il rejoignait un groupe de jeunes qu'il a connus ici. Ils traînent à droite, à gauche, je ne sais pas où exactement.

— On va aller le chercher ! annonce mon père en se levant. On va faire plusieurs groupes et aller dans les endroits stratégiques. Jérôme et Romain, vous allez vers le port. Emma et Pauline, vous faites les plages et la promenade. Chérie, tu viens avec moi, on parcourt les rues du centre. Maman et Colombe, vous pouvez garder les enfants ? Ils devraient dormir encore plusieurs heures.

— Bien sûr, allez, ne vous inquiétez de rien, répond Nonna.

— J'ai le temps de mettre un jean ? je demande.

Les regards de ma sœur et de ma mère me répondent. On enfile chaussures et vestes et nous voilà partis à la recherche de l'ado perdu.

Les rues sont encore plongées dans le sommeil, le ciel rosé s'anime doucement. Ma sœur et ses grandes jambes avancent vite, je cours presque à ses côtés. Mon short de nuit s'est transformé en string. Si des policiers passent, je me fais embarquer.

Emma tourne la tête de tous côtés en appelant Milan. L'inquiétude fait trembler sa voix, je n'ose imaginer l'état de son cœur. Je regarde dans les ruelles adjacentes, sous les bateaux appuyés contre le muret, sous la jetée, incapable de trouver les mots pour réconforter ma sœur.

Durant les trois semaines qui viennent de s'écouler, nous avons vécu côte à côte sans être vraiment ensemble. J'ai essayé, à plusieurs reprises, de me rapprocher d'elle, mais elle est restée sur la réserve. Comme si elle prenait soin de faire en sorte que nos chemins restent parallèles, sans jamais se chevaucher. Alors, je l'ai observée de loin.

Lorsque j'ai quitté la maison familiale, elle avait dix-huit ans et une certitude : un jour, son prince viendrait. Dans sa chambre, les posters de chevaux côtoyaient les romans d'amour. Comme elle ne parvenait pas à se résoudre à jeter ses vieilles Barbie, elle les avait installées dans une jolie maison sur une étagère, à l'abri des regards. Régulièrement, elle venait se glisser dans mon lit pour me confier ses rêves, me décrire son futur mari, me parler de ses futurs enfants, imaginer sa future maison. Je la regardais, avec son petit nez et ses longs cils bruns, m'assurer que sa vie ne commencerait vraiment que quand l'amour, le vrai, se présenterait. En attendant, elle s'y préparait.

Quinze ans plus tard, elle a un mari attentionné, trois enfants, deux maisons, deux appartements et un haras, et elle sait précisément ce qu'elle portera, ce qu'elle mangera et où elle se trouvera à chaque instant durant les quatre prochaines semaines. Ses étagères sont étiquetées, ses menus vérifiés par un diététicien, ses vêtements classés par saisons, catégories puis couleurs. Chaque détail de la journée écoulée est noté le soir dans un cahier, rien n'est laissé au hasard pour que le conte de fées se poursuive après « Ils se marièrent et eurent beaucoup d'enfants ».

Durant des années, nous ne nous sommes croisées que lors de rares repas de famille. Nous parlions des enfants, ceux qui étaient là, ceux qui arrivaient, nous échangions quelques mots à propos de la météo, sujet idéal pour ceux qui n'ont rien à se dire, et je repartais avec le sentiment étrange de ne plus connaître ma propre sœur. Ben en riait : tout au long du trajet retour, j'oscillais entre regret de constater la dégradation de notre relation et colère de la voir si douce avec les autres et si distante avec moi.

L'autre soir, en l'observant donner le sein à Nouméa en racontant *Blanche-Neige* à Sydney, j'ai pris conscience que j'étais heureuse pour elle. Je trouve sa vision du couple et de la femme dépassée, elle est dépendante, voire soumise à son mari, qui aime manifestement jouer au bilboquet avec d'autres. Elle s'épanouit dans la vie dont elle rêvait, elle ne se cache plus pour jouer à la poupée. Au vu du désastre de ma vie personnelle, je suis mal placée pour porter un jugement. J'ai juste le droit de me réjouir pour ma petite sœur, si différente de moi soit-elle.

Plus les minutes passent, plus la voix d'Emma est aiguë. Si Jules avait disparu, j'imiterais sans doute le coq. Je pose ma main sur son bras.

— Emma, on va le retrouver. Il a peut-être oublié l'heure, il devait trop s'amuser… Je suis sûre qu'il va bien.

Elle ne ralentit pas. Aucune réaction. Je continue de la suivre au pas de course, en prenant soin d'éviter les racines des arbres. Nous arrivons au bout de la promenade, pas une trace de Milan. Emma reste plantée, les mains sur les hanches, à bout de souffle. Son visage est déformé par l'angoisse, elle est livide et des cernes violets creusent son regard.

— Ça va aller, tout va s'arranger, dis-je en lui caressant l'épaule.

— Mais qu'est-ce que t'en sais, toi ? hurle-t-elle. Et je t'en prie, arrête de faire celle qui s'y intéresse ! Qu'est-ce que ça peut te foutre que Milan ait disparu ? Qu'est-ce que ça peut te foutre que je sois morte de peur ? Hein ? Rien. T'en as rien à foutre de nous, de moi ! Alors, s'il te plaît, ne fais pas semblant !

Je suis sonnée. Parce que je ne l'ai jamais vue dans cet état, d'abord, et parce que ses mots me cognent. C'est elle, l'égoïste qui se désintéresse de tout ce qui ne la concerne pas, qui ose me dire ça ? Si elle n'était pas aussi inquiète, je ne me priverais pas de lui répondre.

Elle tourne les talons et se dirige vers la plage centrale. Je me lève et la suis, à distance cette fois. Vexée. Nous passons devant la jetée quand son téléphone sonne.

— Allô ? Oui. Oh, merci mon Dieu ! Merci ! Mais il était où ? D'accord. Merci. J'arrive.

Elle raccroche et se laisse tomber sur un banc avant de se mettre à pleurer bruyamment. Tout son corps est secoué de spasmes. J'ai envie de la serrer dans mes bras, mais j'ai peur de me prendre un coup de pied. Alors je reste plantée à quelques mètres, silencieuse et soulagée.

Au bout de plusieurs minutes, ma sœur lève son visage inondé vers moi.

— Je suis désolée, souffle-t-elle. Je ne voulais pas m'énerver comme ça.

Je m'assois prudemment à ses côtés.

— C'est pas grave. Tu étais angoissée, tes paroles ont dépassé ta pensée, je comprends.

Elle se mouche, puis secoue la tête.

— Pas du tout. Je n'aurais pas dû te crier dessus, mais je pensais tout ce que je t'ai dit.

— Tu pensais tout ce que tu m'as dit ? je répète, comme pour me persuader que j'ai bien entendu.

— Ce n'est pas le moment, il faut que je rentre retrouver Milan. Bien que tu ne le demandes pas, sache qu'il comptait fuguer, parce qu'il ne veut pas rentrer à Bordeaux et quitter son amoureuse.

Je bondis sur mes pieds.

— Mais merde, à la fin ! Je ne vais pas te laisser me traiter d'égoïste, alors qu'il n'y a pas plus autocentrée que toi ! Tu m'as appelée combien de fois depuis l'année dernière ? Zéro ! Tu t'es inquiétée de savoir si ton neveu vivait bien la séparation de ses parents ? Tout ce qui compte, c'est toi et les prouesses de ton mari et de tes enfants. Tu as changé, Emma, tu es devenue arrogante, prétentieuse, froide. Je ne te reconnais plus.

Elle essuie rageusement les dernières larmes qui osent afficher sa faiblesse.

— C'est vrai que je suis devenue froide, dit-elle en me toisant. Mais uniquement avec toi. Tu m'as abandonnée, Pauline. On était comme des jumelles, on passait tout notre temps ensemble, on se racontait tout, et tu es partie vivre avec Ben. Tu savais que les relations étaient compliquées avec Maman et que Papa buvait, j'avais dix-huit ans, Romain en avait treize, et tu nous as laissés. Le pire, c'est que tu as emménagé à quelques kilomètres à peine, tu aurais pu venir nous voir, nous appeler, mais rien. Du jour au lendemain, on a dû faire sans toi. Tu nous faisais l'honneur d'être là pour Noël et les anniversaires, quand tu n'avais pas mieux à faire, c'est tout.

Sa voix ne tremble plus. Son assurance est revenue.

— Il y a quinze ans, poursuit-elle, tu m'as abandonnée, sans te soucier du mal que ça pouvait me faire. J'ai passé neuf ans à attendre que tu te souviennes de moi, et puis Jérôme est arrivé. Mais même ça, tu n'en avais rien à faire. Le soir où je devais te le présenter, tu as annulé au dernier moment, tu te rappelles ? J'avais réservé une table pour quatre, on a mangé en tête à tête. Tu m'as lâchée, Pauline, alors j'ai dû avancer comme j'ai pu. C'était plus facile de faire comme si tu n'existais plus, comme si ma grande sœur n'avait jamais été si proche de moi. Et là, parce que tu vis une épreuve, tu te permets de me juger ? Tu oses me faire la leçon ? Je ne te demande pas comment tu vas, c'est vrai, mais j'appelle Papa au moins deux fois par semaine pour prendre de tes nouvelles. Et toi, qu'est-ce que tu sais de moi, chère grande sœur ? Est-ce que tu sais que je vais chez le médecin plusieurs fois par mois pour m'assurer que je n'ai pas une maladie grave ? Est-ce que tu sais que je me lève chaque matin avant mon mari pour me maquiller, qu'il ne m'a jamais vue sans artifices ? Est-ce que tu sais que je suis obligée de laver mes vêtements neufs trois fois avant de les mettre ? Est-ce que tu sais que Sydney est en cours de diagnostic parce qu'elle est sans doute autiste Asperger ? Est-ce que tu sais que mon mari n'est jamais là ? Est-ce que tu sais que je dors dans la chambre de Nouméa pour vérifier qu'elle respire bien ? Ne t'inquiète pas, Pauline, je ne t'accuse de rien. Ce n'est pas ta faute, tout ça. Mais tu es la première personne à m'avoir donné envie de vivre dans un conte de fées plutôt que dans la réalité. Alors, sois gentille, la prochaine fois que tu auras envie de me juger, demande-toi si tu es bien placée pour le faire. Sur ce, Milan a besoin de moi.

Sans me laisser le temps de répondre, elle se lève et s'éloigne à toute vitesse vers la maison de la plage. J'ai le cœur qui tape dans ma poitrine, dans mon cou, dans mes oreilles, des larmes inondent mes joues, je me sens meurtrie, blessée, seule. Égoïste.

Chapitre 53

— Bonjour, docteur Pasquier, c'est Pauline Frémont.

— Bonjour, madame Frémont.

— Il faut que je vous dise quelque chose.

— Je suis en consultation, pouvez-vous me rappeler plus tard ?

— Ce n'est pas long, promis.

— Je vous écoute.

Je prends une inspiration. Je vais le dire à voix haute, je n'aurai plus le choix.

— J'ai envie d'aller mieux.

— Très bien, madame Frémont, nous en discuterons lors de notre prochain rendez-vous.

Il hésite un instant, puis il ajoute :

— C'est la meilleure nouvelle de ma journée.

28 avril 2012

C'était une surprise, j'avais été discrète.

Cela n'a l'air de rien, comme ça, on dirait même que c'était facile. Pourtant, je n'ai pas été livrée avec la discrétion de série. Moi, quand je prépare une surprise, il faut que je m'auto-menace des pires sévices pour ne pas tout dévoiler. Sinon, je suis un panneau de signalisation sur lequel clignote « Pose-moi des questions, j'avoue tout ». Je sais par exemple qu'il ne faut pas que j'achète les cadeaux de Noël avant la date, sinon je les offre direct en sortant du magasin et je me sens obligée d'en racheter pour le jour J.

Mais, là, j'avais géré.

Discrètement, j'avais passé des heures à choisir l'hôtel parfait. Un petit nid romantique pour fêter nos sept ans de mariage, à Biarritz, avec vue sur l'océan et baignoire à bulles.

Discrètement, je m'étais arrangée avec Nathalie pour faire garder Jules.

Discrètement, j'avais rempli une valise et je l'avais cachée dans le coffre de la voiture.

Discrètement, j'étais allée faire le plein d'essence, pour ne pas perdre de temps.

Discrètement, j'avais mis le réveil tôt, pour que nous profitions à fond.

La veille, je suis allée me coucher avec le sourire aux lèvres en imaginant ta tête quand tu saurais. J'ai fermé les yeux et j'ai visualisé : la chambre, le bruit des vagues, l'odeur de l'iode, le soleil, l'ambiance des vacances, nous deux.

Je me suis endormie en nous y voyant déjà.

La première alerte a eu lieu vers 2 heures du matin. Un éternuement, puis un second. Jules n'avait jamais été malade. Sa première fois ne pouvait pas tomber à cette date. Au bout de plusieurs minutes de silence, je me suis rendormie, rassurée.

Une heure plus tard, quand il s'est mis à chouiner, lui qui a habituellement un sommeil de plomb dont je me vante auprès de tout le monde, j'ai naïvement pensé qu'il avait fait un mauvais rêve. Je suis allée le réconforter, tout va bien, rendors-toi, il n'y a pas de monstre dans ton placard, mais cela peut tout à fait changer si tu nous empêches de partir en week-end, mon chéri.

À 6 heures du matin, nos chances de partir étaient inversement proportionnelles à la température affichée sur le thermomètre.

À 9 heures, j'ai appelé SOS Médecins en leur demandant de passer et Nathalie en lui demandant de rester chez elle.

À 10 heures, je t'ai montré les photos de la surprise que tu avais failli avoir. Tu as dit que c'était l'intention qui comptait. J'ai eu très envie de te mettre un coup de boule, mais je ne l'ai pas fait. C'est l'intention qui compte.

À midi, Jules avait encore de la fièvre, mais était en grande forme.

À 20 heures, lorsque le marchand de sable a jeté du Doliprane dans les yeux de notre fils, tu m'as dit que toi aussi tu avais une surprise.

Tu es sorti, j'ai entendu le moteur de la voiture s'éloigner et j'ai espéré que ta surprise n'était pas un tour de magie : regarde, j'ai disparu !

Tu es revenu une demi-heure plus tard, tu m'as demandé d'allumer des bougies pendant que tu installais le festin sur la table du salon.

À 22 heures, vautrés sur le canapé devant un épisode de Scandal*, une vague odeur de cheese-burger et de frites flottant dans l'air, nous nous sommes dit que nous avions drôlement bien fait de nous dire oui, sept ans plus tôt.*

Chapitre 54

Milan a le nez sur son téléphone. Je me demande s'il ne s'en sert pas de stylet. Tous les autres mangent dans un silence absolu. C'est notre dernier dîner à Arcachon et il est plombé par la tentative de fugue de la nuit dernière. Je chipote dans mon assiette, même les haricots verts font la gueule.

— Vous avez fait vos valises ? tente Nonna.

Ma sœur hoche la tête, ma mère secoue la sienne. On dirait qu'on joue au roi du silence. Colombe soupire :

— Après le cirque de la nuit dernière, voilà qu'il dîne en tête à tête avec son écran. Décidément, cet enfant manque cruellement d'éducation…

— Maman, s'il te plaît ! souffle ma mère.

— Si tu avais été plus investie pour ta famille que pour ton travail, tes petits-enfants sauraient se tenir. Personne ne voit d'inconvénient à ce qu'un adolescent passe tout son repas sur Gougoule ?

La fourchette de mon frère se fige à l'entrée de sa bouche. Mon regard croise le sien, c'est foutu.

— Sur quoi ? demande-t-il en se mordant les joues.

— Sur Gougoule. Tout ceci est inadmissible ! Je ne suis pas mécontente que les vacances touchent à leur fin…

On a perdu Romain. Il tente d'étouffer son fou rire dans sa serviette, mais ses hoquets et ses yeux qui pleurent le trahissent. J'essaie de me retenir, mais c'est contagieux. Alors que Colombe se lève pour quitter la table, je laisse échapper un ricanement. Elle me lance un regard noir.

— Toi, tu ferais mieux d'emmener ton fils qui zozote consulter un orthophoniste au lieu de glousser comme une pintade !

L'effet est immédiat : la pintade éclate de rire.

— Pauline ! s'offusque ma mère. Ne te moque pas de ta grand-mère !

— Ça va, Maman, je n'ai plus dix ans !

— Non, mais tu vis sous mon toit, alors tu dois accepter mes règles.

— Tes règles ? rétorque Colombe en se retournant vers ma mère. Depuis quand poses-tu des règles ? Tu n'as jamais été qu'une copine avec tes enfants, tu n'es pas une…

— Ça suffit ! hurle Milan en se levant, faisant tomber sa chaise au passage. Ça suffit ! J'en peux plus de cette famille qui passe son temps à s'engueuler ! Putain, mais vous vous rendez pas compte de la chance qu'on a de pouvoir passer du temps ensemble ! Vous faites que balancer des réflexions, on dirait que vous attendez le moindre faux pas pour attaquer, c'est relou ! Ça aurait pu être des vacances géniales, vous avez tout gâché !

Il ramasse sa chaise et s'éloigne vers la cuisine.
— Milan ! le rappelle ma mère. Reviens, ce n'est rien ! Juste des petites histoires entre mère et fille, ne te rends pas malade pour ça !
Il continue d'avancer sans se retourner. Sa voix nous parvient alors qu'il passe la baie vitrée.
— Profitez-en, moi aussi j'aimerais avoir de petites histoires sans importance avec la mienne. Faites attention, un jour, les mères, ça meurt.

23 juin 2013

C'était un dimanche. Habituellement, tu étais le premier à te réveiller. Pas ce matin-là. Je suis sortie de la chambre sans faire un bruit, tu as gémi quand j'ai fermé la porte. J'en ai déduit que tu rêvais de moi.

Pour la première fois depuis sa naissance, Jules passait le week-end chez ta mère. Elle avait insisté, tu y avais vu l'occasion de passer du temps à deux, j'avais accepté, en essayant de ne pas écouter mon envie d'appeler toutes les minutes pour prendre de ses nouvelles.

À 11 heures, tu étais encore au lit. La première grasse matinée depuis deux ans, ça se savourait.

À midi, j'ai commencé à m'inquiéter. J'avais lu un article sur la mort subite du nourrisson. Elle existait probablement pour les adultes.

Je suis venue vérifier que tout allait bien, prête à mouiller mon index pour le placer sous tes narines. J'ai ouvert la porte et je t'ai vu, bien vivant, allongé au milieu du lit, à fixer le plafond.

— Ça va ? ai-je demandé.

— Mmmmmpfffff.

— Ça veut dire oui ou non ?

— Mmmmpppffffff.

— Tu ne peux pas parler ?

— …

— Mais dis quelque chose !

Tu as entrouvert les lèvres avec une difficulté qu'on ne pouvait pas louper, puis tu as gémi quatre mots. Enfin, quand je dis « gémi », cela se situait plutôt entre le vagissement et le râle.

— Y a du Doliprane ?

Tu n'avais quasiment jamais été malade depuis que je te connaissais. J'ai donc procédé à un interrogatoire pour savoir de quoi il retournait.

Tu avais : mal partout, pas la force de te lever, la tête dans un étau, du mal à respirer, des vertiges, envie de vomir et d'autres symptômes dont j'ignorais l'existence. À la fin de la liste, tu as poussé un long soupir qui signifiait : « Continue sans moi, je vais te ralentir. »

Je suis sortie de la chambre et suis revenue quelques secondes plus tard avec un thermomètre. Ton air a changé. De mourant, il est passé à sceptique.

— Qu'est-ce que tu veux que je fasse de ça ?

— Que tu te l'accroches autour du cou, quelle question.

— Ah, j'ai eu peur que tu veuilles que je me le mette là où tu sais.

— …

— Quoi ? (Regard effrayé.)

— Oui, tu vas te le mettre là où tu sais.

— Sous la langue, tu veux dire ?

— Si tu veux. Mais sache qu'il y a quelques jours il était dans le là où tu sais de ton fils.

Tu as pris ta température là où tu sais. Tu n'en avais pas.

Deux heures plus tard, après un appel au 15, nous étions aux urgences.

Dans la salle d'attente, les gens te regardaient avec compassion. La tête enfoncée dans une grosse écharpe malgré la chaleur, les bras croisés, les yeux fermés, on aurait dit un homme politique à l'Assemblée nationale.

La pitié ayant ses limites, personne ne t'a laissé passer en priorité. Ton calvaire a donc duré une heure de plus. Plus les minutes passaient, plus tu te ratatinais sur ta chaise. Lorsque l'infirmière est venue te chercher, tu ressemblais à un coussin.

Tu es parti vers la consultation en marchant au ralenti. J'ai prié pour que tu n'oses pas demander un fauteuil roulant.

Tu en es sorti dix minutes plus tard, dans le même état. C'est quand l'infirmière m'a souhaité « Bon courage » que j'ai commencé à angoisser.

Nous avons marché jusqu'à la voiture, je n'osais pas poser la question. Tu avais quelque chose de grave, c'était sûr. Et moi qui me moquais de toi quelques heures plus tôt…

Finalement, n'y tenant plus, j'ai demandé :

— Alors ?

— Alors quoi ?

— Alors t'as quoi ?

Tu as pris quelques secondes avant de répondre. Pour m'épargner, sans doute. Et puis, de ta voix la plus faible, tu as consenti à me donner le diagnostic du médecin :

— Apparemment, c'est un rhume.

Chapitre 55

— Bonne nuit ! dis-je à Romain en éteignant la lumière.

— Bonne nuit, sœurette ! C'était chouette de partager toutes ces nuits avec toi. Je suis content que tu sois venue.

— Moi aussi.

— Vraiment ?

— Vraiment. Je pensais m'enfuir au bout de deux heures, mais j'ai passé de bonnes vacances, ce qui n'était pas gagné. Ne le dis à personne, mais je serais bien restée une semaine de plus.

— Waouh ! Fais gaffe, t'es en train de te réintégrer dans la famille !

— Ouais… Va falloir que j'en parle à mon psy !

Romain se met sur le côté et passe son bras autour de mon ventre.

— Je suis content d'avoir retrouvé ma grande sœur.

Un ricanement s'échappe de ma bouche, comme à chaque fois que l'émotion me gagne.

Demain, fin de la parenthèse. Retour à la vraie vie, sans savoir ce qui m'attend. Mon futur est un Kinder Surprise. Je n'ai aucune idée de ce qu'il contient, j'ignore si ça me plaira, mais il faudra que je fasse avec.

En partant, j'enverrai le dernier souvenir à Ben. J'aurais pu en écrire encore des milliers, replonger dans notre histoire a fait remonter tous ces petits moments de complicité qui décoraient notre quotidien. En posant notre vie sur le papier, j'ai ri aux éclats, j'ai pleuré d'émotion, j'ai senti mon ventre se tordre. Cela n'a fait que renforcer cette certitude : nous nous sommes trouvés. Nous avons cette chance.

Si Ben ne revient pas, j'aurai perdu mon âme sœur. Je sais sans le moindre doute que jamais je n'aimerai plus comme je l'aime, lui. Je préfère être seule qu'aimer au rabais. Je n'ai pas peur de vivre seule, j'ai peur de vivre sans lui.

4 septembre 2014

C'était le 4 septembre.

Nous avions mal dormi. Une armée de questions faisait les cent pas dans nos têtes. Et si la maîtresse était méchante ? Et si ses nouvelles chaussures lui donnaient des ampoules ? Et s'il se sentait abandonné ? Et si les trois réveils que j'avais réglés ne sonnaient pas ?

Lorsque j'en suis venue à l'imaginer, levant ses grands yeux pleins de larmes vers nous en essayant bravement de ne pas les laisser couler, et que j'ai senti les miennes se pointer, j'ai compris qu'il était temps de se lever.

Cette rentrée des classes, pour nous, ce n'était pas rien.

Ce n'était pas de la tristesse, c'était même un gros bonheur de le voir devenir grand, de le voir affirmer son caractère, de le voir déployer ses ailes.

Un peu d'appréhension, parce qu'on ne connaissait pas.

Un peu de nostalgie, parce que ça voulait dire que cette période durant laquelle nous avions été tous les trois était terminée.

Un peu d'égoïsme, parce que c'était la première marche d'un grand escalier qu'il gravirait pour se rapprocher de lui-même, mais s'éloigner un peu de nous.

Nous avons vérifié que nous n'avions rien oublié. Le cartable. Le tablier. Lui dire je t'aime. La couverture. Doudou. Marquer les vêtements. Lui dire je t'aime. Le gobelet. Les affaires de rechange. Lui dire je t'aime.

On s'est regardés, on aurait dit qu'on faisait le concours de celui qui avait l'air le plus déprimé. Ça nous a fait rire, alors on n'avait plus du tout l'air déprimé, mais on avait l'air con.

Il était temps de le réveiller.

— Coucou, chéri !

— Bonzour !

— On va aller à l'école !

— Oh oui !

— Tu vas te faire plein de copains, tu vas bien t'amuser, ça va être super !

— Oui ! Ze peux prendre ma couille ?

Je t'ai lancé un regard interloqué.

— Maman, ze peux ? Ze veux ma couille à l'école !

Je m'apprêtais à lui expliquer qu'il allait même pouvoir prendre les deux quand tu as compris. Il voulait sa voiture rouge, McQueen.

Durant le trajet, alors que tu conduisais, j'ai pris approximativement 1 258 776 photos. Son dernier sourire avant l'école. Sa dernière grimace avant l'école. Son dernier froncement de sourcils avant l'école. Son dernier clignement d'yeux avant l'école. Son dernier pied droit posé sur son pied gauche avant l'école.

Nous nous sommes garés sur le parking en poussant des cris d'enthousiasme qui ne convainquaient que nous. En réalité, j'avais des contractions. Il se peut même que j'aie perdu les eaux, mais je ne suis pas sûre qu'il s'agissait vraiment de ça.

Ils étaient tout petits, lui et ses camarades d'enfance, entourés de meubles à leur taille. Petits hommes de demain. Certains pleuraient, certains zappaient leurs parents, Jules observait cet environnement qui lui serait bientôt familier.

La maîtresse a dit que nous devions partir. Nous pourrions venir chercher notre fils à midi.

Il avait ses yeux dans les miens quand je les ai vues arriver. J'ai fait comme si elles n'existaient pas, mais elles ont jailli, silencieuses. J'avais envie de le prendre dans mes bras, de le serrer fort, de sécher ses larmes avec mes baisers, de repousser cette vilaine rentrée qui le rendait malheureux. Mais ça aurait été pire, alors mes envies, je les ai mises dans ma poche avec sa sucette, je lui ai fait un gros bisou et je me suis éloignée en lui répétant qu'on reviendrait le chercher vite et qu'il allait s'amuser.

Nous avons compté les secondes jusqu'à sa sortie. Il y en avait beaucoup.

Nous avons essayé de nous occuper, de tuer le temps, mais il restait bien vivant.

À midi, il est arrivé au portail avec son sac sur le dos et son sourire sur le visage.

Nous l'avons serré dans nos bras, lui avons dit combien nous étions heureux de le voir, qu'il nous avait manqué. Il a hoché la tête et nous a demandé où était McCouille.

Chapitre 56

La maison est rangée, la piscine bâchée, les valises sont chargées. La maison de la plage se met en sommeil. Nous ne sommes pas encore partis que la nostalgie empreint déjà chaque geste. Le dernier café sous les arbres. La dernière douche avec vue sur la mer. Le dernier câlin à Nonna entre deux portes. Le dernier cache-cache de Jules et Sydney. Plusieurs semaines ensemble, ça crée des habitudes.

Pour finir en beauté, Jérôme a proposé un pique-nique sur le banc d'Arguin. À la barre de son nouveau bateau, habillé comme le capitaine Stubing, il nous conduit vers la formation de sable posée à cheval entre les eaux paisibles du Bassin et celles, sauvages, de l'océan.

À hauteur des cabanes tchanquées, nous doublons le catamaran sur lequel Maxime m'avait embarquée. Les passagers, coupe à la main, admirent le panorama. Sur un trampoline, à l'avant, je remarque une silhouette familière. Je n'en crois pas mes yeux : Maxime est assis aux côtés d'une jolie blonde, le dos droit, le regard dans le vague. Sa posture ne laisse aucun doute : il lui fait le coup du mal de mer. Je me demande combien nous avons été à nous faire avoir.

Nous ne sommes pas les seuls à avoir eu l'idée d'un pique-nique sur le banc d'Arguin, malgré les nuages : plusieurs groupes, venus en bateau, en jet-ski ou en canoë, profitent de la beauté de l'endroit. Colombe a l'air d'apprécier :

— Merveilleux. On se croirait au laboratoire d'analyses médicales un samedi matin.

La mine renfrognée, elle déplie sa chaise et s'installe face à la dune du Pilat. Nous étendons un grand plaid à ses côtés, nous déchargeons sandwichs, salades, chips et boissons, et nous nous asseyons pour profiter de ce dernier moment ensemble. Nonna est assise à mes côtés, sur un coussin gonflable. Ma mère est contre mon père. Ma sœur ressemble à une madone, une main sur le ventre, un bras autour de Nouméa. Mon frère a l'air triste. Milan est assis un peu à l'écart, sa main dans celle de Lou.

Je m'apprête à croquer dans mon jambon-beurre-cornichons quand Jérôme fait tinter sa fourchette en plastique contre un gobelet.

— Je tenais à vous remercier d'avoir accepté mon invitation. C'était formidable de vous avoir tous à nos côtés dans la maison de la plage. Je suis heureux d'avoir pu réunir toute la famille, je suis sûr qu'on gardera de bons souvenirs de ce premier été passé ensemble et j'espère qu'il y en aura de nombreux autres. À la maison de la plage !

Nous levons nos gobelets de jus d'orange en répétant en chœur :

— À la maison de la plage !

— Et maintenant, on va tous reprendre notre vie, chacun de son côté, lâche mon frère.

— Mais non ! promet mon père. On se réunira plus régulièrement, je ferai de bons petits plats !

Nonna pose sa main sur ma cuisse.

— Je descendrai vous voir souvent.

— Quant à moi, je retourne dans mon mouroir, geint Colombe.

— Tu veux venir vivre à la maison ? propose ma mère.

Mon père tourne ses yeux écarquillés vers elle. Il va s'évanouir.

— Pauline va prendre un appart, poursuit-elle. Tu pourrais t'installer dans sa chambre !

— Je n'ai encore rien trouvé, interviens-je.

Ma mère me regarde froidement.

— Eh bien, tu vas chercher. Tu ne peux pas rester chez nous indéfiniment, ce n'est pas comme ça que tu vas tourner la page. Toi qui es sans cesse sur le dos de ton fils, pense un peu à lui. Il a besoin de stabilité, d'un endroit où il sera chez lui !

Ce pique-nique était une riche idée, vraiment, je me félicite d'être venue. Pendant plusieurs minutes, je serre les dents. Répondre ne ferait qu'envenimer les choses. Mais je sens la colère monter en moi, me tordre le ventre, s'insinuer dans mes membres et se diriger tout droit vers ma bouche, sans que je puisse l'arrêter :

— Maman, c'est quoi ton problème avec moi ?

— Quoi ? s'étonne ma mère, qui discutait avec Jérôme.

— Pourquoi tu te sens obligée de me faire des réflexions dès que tu t'adresses à moi ? Qu'est-ce que je t'ai fait pour que tu m'en veuilles à ce point ?

Elle hausse les sourcils. Tout le monde se tait. Même mon assurance.

— Je pense que tu inverses la situation, Pauline. Je ne t'en veux de rien, je n'ai pas l'impression de te faire plus de réflexions qu'à quelqu'un d'autre… Je te trouve souvent trop rigide et j'ai peur que tu sois dans le déni par rapport à Ben, alors je te le dis, parce que je suis comme ça, je ne peux pas garder ce que je pense pour moi. Mais tu ne laisses rien passer, toi, pas vrai ? Je vais t'éviter des désillusions : on est tous faillibles. Je ne suis pas parfaite, ta sœur n'est pas parfaite, ton père n'est pas parfait. Et tu veux un scoop ? Toi non plus, tu n'es pas parfaite. Alors, si tu pouvais arrêter de pointer les défauts de tout le monde, ça nous ferait des vacances !

Je sens les larmes qui frappent à mes yeux, j'ai peur qu'ils leur ouvrent. Sans un mot, en prenant soin d'éviter tous les regards braqués sur moi, je me lève et m'éloigne.

Chapitre 57

Assise sur la plage, je cherche l'apaisement dans le ballet des vagues. Sur cette côte du banc d'Arguin, c'est l'océan qui danse. Les rouleaux se couvrent d'écume et enveloppent les surfeurs avant de venir mourir sur le sable.

J'entends le sable crisser sous ses petits pas. Je me retourne, Nonna est là, son coussin gonflable à la main. Je l'aide à s'asseoir à mes côtés.

— Tu sais, ta mère n'est pas méchante.

— Je n'ai jamais dit qu'elle l'était.

— Mais tu prends à cœur ses remarques. Je ne prétends pas qu'elles sont toujours justifiées, c'est vrai que parfois elle est cassante, elle ne sait pas mettre les formes. J'ai mis beaucoup de temps à l'apprécier quand ton père nous l'a présentée. Mais j'imagine que c'est sa manière de dire aux gens qu'elle s'inquiète pour eux.

— Mouais…

— Je le pense vraiment ! Regarde : elle agit ainsi surtout avec ta sœur et toi. Vous êtes très différentes d'elle, vous aimez que tout soit sous contrôle, alors qu'elle est plutôt du genre à laisser venir. Peut-être que je me trompe, mais j'ai le sentiment qu'elle se sent coupable de vous savoir angoissées au point de vouloir tout maîtriser, alors elle essaie de vous pousser, sans doute maladroitement, à être un peu plus souples.

— Tu parles ! Dans ce cas, pourquoi elle serait si pressée que je parte de chez elle ?

— Sans doute parce qu'elle te voit malheureuse depuis des mois et qu'elle pense que c'est le seul moyen pour que tu avances. Peut-être aussi parce qu'elle s'inquiète pour Jules… Tu sais, malgré ce que tu penses, ta mère a toujours tout fait pour vous protéger. Cela n'a pas toujours été facile pour elle. Elle a été élevée à la dure, Colombe est sa mère, je te rappelle !

— Hmmm. Je ne suis pas sûre que ça explique qu'elle soit si méchante avec moi.

Nonna me prend la main.

— Pauline, je n'ai pas envie de te faire de la peine, mais je ne peux pas ne rien dire. Tu as vécu des épreuves ces derniers temps, c'est normal que ta vision des choses soit altérée. Mais tu ne peux pas te complaire dans cet état. Ma petite-fille chérie a certes son petit caractère, mais elle est tolérante et sait se remettre en question. Je sais qu'elle est encore là, mais il faut que tu l'aides à sortir de sa carapace d'amertume. Tu ne peux pas accuser les autres de tous les défauts pour ne pas voir les tiens. Tu n'es pas comme ça. Ne laisse pas les coups durs te changer, ma chérie. Tu as un cœur en or, ce serait dommage.

Les mots de Nonna me giflent. Et si elle avait raison ? Je trouve que ma mère ne m'épargne pas, mais l'inverse n'est pas moins vrai. C'est comme si, tout au fond de moi, couvait une colère envers elle, qui ne demande qu'à grandir. Comme si je voyais ma mère à travers le prisme déformant de la rancœur.

Une vague plus vigoureuse que les autres s'approche de la côte. Un surfeur se lance à sa conquête, saute sur ses pieds et dirige sa planche qui glisse à toute vitesse. Le rouleau se forme et l'engloutit, la planche saute hors de l'écume, le surfeur est secoué dans tous les sens, tantôt un bras sort du bouillon, tantôt une jambe. Au terme de plusieurs secondes d'essorage, il est rejeté sur le sable, sonné.

Je suis dans le même état.

Chapitre 58

Je n'ai pas desserré les dents depuis le pique-nique. En revenant au port, je prétexte un achat urgent à effectuer pour confier Jules à mon père et aller marcher seule. Les pensées jouent aux autos-tamponneuses dans ma tête, j'ai besoin de faire le point. Mon frère a manifestement envie d'être mon passager.

— Attends-moi, Popo, je viens avec toi !

Je ne ralentis pas le pas, pensant que cela va le dissuader. C'est mal le connaître. Si c'était un animal, mon frère serait un morpion.

— Tu fais la gueule ?

— Non.

— Tu imites vachement bien la meuf qui fait la gueule.

Pourtant. Je suis triste que les vacances soient finies, chamboulée par tout ce que j'ai ressenti ici, remuée par les paroles de Nonna, impressionnée par les changements que je perçois en moi, mais je ne fais pas la gueule. Je m'apprête à le dire à Romain lorsque j'avise un couple, debout face à la mer, près du manège. Maxime et la blonde avec laquelle il était sur le catamaran.

J'amorce un détour pour les éviter.

— Qu'est-ce que tu fais ? demande Romain.

Je désigne Maxime du regard.

— J'ai pas envie de passer devant lui.

— C'est le mec de l'autre soir ?

— Oui. Tout à l'heure, je l'ai vu sur un catamaran avec la nana, je pense que c'est un prédateur qui a un plan bien rodé pour mettre ses proies dans son lit. Si ça se trouve, il n'est pas en vacances chez sa sœur et il n'a pas de fille, je pense que…

Romain ne me laisse pas le temps de terminer. Il s'éloigne de moi et se dirige tout droit sur Maxime. Le couple, de dos, ne le voit pas arriver. Il se retourne et me fait signe de regarder ce qu'il s'apprête à faire. Je lui fais signe que je vais le tuer.

Une fois à hauteur de Maxime, il le contourne et se retrouve face à lui. Sans lui laisser le temps de réagir, il l'enlace et approche ses lèvres des siennes. Maxime le repousse violemment, mon frère fait quelques pas en arrière, je le vois parler, lever les mains en signe d'incompréhension, secouer la tête. Maxime fait de grands gestes et ne cesse de se retourner vers la blonde pour s'assurer qu'elle est toujours là. Finalement, mon frère tend la main à Maxime, qui refuse de la serrer, hausse les épaules et s'éloigne d'eux, la tête exagérément basse.

Au moment où Romain me rejoint, hilare, le regard de Maxime croise le mien. S'il pouvait, il me lancerait des flèches. Je lui adresse un grand sourire couplé à un doigt d'honneur, puis je reprends ma marche « digestive », un peu plus légère.

Chapitre 59

C'est étrange de rentrer chez soi après une longue absence. C'est encore plus étrange de rentrer pas chez soi.

Le silence me paraît anormal. Mon cerveau s'est habitué aux rires, aux cris, aux mouettes, aux vagues. J'ai la même nostalgie que quand, enfants, nous revenions de Biarritz après avoir passé tant de temps tous ensemble.

— HOUAAAAAAAAAA !

Si j'en juge par mes tympans percés et par son sourire, je dirais que Jules aime la nouvelle décoration de sa chambre. Si j'en juge par la ride du lion de ma mère, je dirais qu'elle apprécie nettement moins.

— Quand tu m'as demandé si tu pouvais relooker la chambre de ta sœur, je ne pensais pas que ce serait à ce point.

— Ne t'inquiète pas, je remettrai tout en état en partant.

— Je n'ai pas dit ça.

— Je n'ai pas dit que tu avais dit ça.

— Tu me fatigues, Pauline.

— Calme-toi, Maman. Tu vas faire une descente d'organes.

— Arrêtez, toutes les deux ! intervient mon père en nous attrapant par les épaules. Vous passez votre temps à vous attaquer alors que vous vous aimez. Il serait temps d'essayer un autre mode de communication, vous ne pensez pas ?

— Je te signale que *moi*, je fais des efforts ! s'offusque ma mère. Depuis qu'elle vit ici, je m'occupe d'elle, je lui prépare même le petit déjeuner ! Mais il faut qu'elle y mette du sien aussi, et qu'elle arrête de se froisser d'un rien.

Trois paires d'yeux sont braquées sur moi. Ceux de mon père, ceux de ma mère et ceux de la chienne. Je crois qu'on attend quelque chose de moi.

— D'accord, je vais essayer d'être moins susceptible.

— Tu promets ? insiste mon père.

— Je promets que je vais essayer.

— Faites-vous un bisou !

— Papa, ça va…

— Faites-vous un bisou !

— T'es lourd, Patrick.

— Faites-vous un bisou !

J'approche ma joue de la bouche de ma mère, qui me tend elle aussi sa joue. Je comprends le message : c'est moi qui dois faire le premier pas. Je l'embrasse, elle fait de même, mon père fait une ola, Jules se poste à ses côtés et l'imite. Mina aboie. Je ne suis pas traductrice canine, mais je crois qu'elle nous traite de tarés.

Cette promiscuité me gêne. Je cherche mentalement une issue et, dès que je l'ai trouvée, j'annonce que je vais chercher le courrier et je m'enfuis vers la porte.

La boîte aux lettres est pleine. Des factures, des prospectus, des cartes postales, et une lettre à mon intention. Une enveloppe blanche qui n'a rien de particulier, mais qui fait immédiatement décoller les battements de mon cœur.

C'est l'écriture de Ben.

Ben m'a écrit.

C'est forcément bon signe.

Salut Pauline,

J'ai lu tous nos souvenirs. Je n'en avais oublié aucun. Toi, en revanche, je pense que tu as occulté une partie de notre histoire.

À mon tour de te rappeler quelques épisodes marquants. Il y en a treize. Le premier est ci-joint.

À bientôt,

Ben

24 janvier 2012

On a rafraîchi ta boîte mail tout l'après-midi.

Le laboratoire avait dit qu'on recevrait les résultats aux alentours de 16 heures.

Le mail est arrivé. Tu as cliqué dessus. Une nouvelle page s'est ouverte. Tu as entré le code secret. Le document s'est affiché.

On est restés silencieux quelques secondes, le temps de comprendre à quoi correspondaient ces chiffres. Quand on a pigé, je t'ai prise dans mes bras et on a sauté dans tout l'appartement, l'un contre l'autre.

Jules allait avoir un petit frère ou une petite sœur.

Chapitre 60

Lunettes bleues et chemise assortie, le docteur Pasquier n'a pas changé de règle vestimentaire durant les vacances. Je m'attends à voir débarquer Gargamel.

— Racontez-moi tout. Comment se sont passées ces vacances en famille ?

J'ai tellement à dire que j'expulse les mots de ma bouche. Je ne dois rien oublier, je dois avoir le temps de tout raconter. Ma colère envers ma mère, que je viens d'identifier. La supposée rechute de mon père et ses confessions. La rancœur de ma sœur et son mal-être qui m'a touchée. La garde alternée. La complicité avec mon frère. Les relations entre ma mère et la sienne. La conversation avec Nonna. Maxime. Jules, qui ne fait plus pipi au lit. Le temps pour moi, pour penser. L'envoi de tous les souvenirs à Ben.

— Il a réagi ? demande-t-il.

J'hésite un quart de seconde avant que la réponse s'impose :

— Non. Aucune nouvelle.

— Qu'en pensez-vous ?

— Je ne sais pas. Il lui faut sans doute un peu de temps pour faire le point.

Il hoche la tête.

— Pendant vos vacances, avez-vous évolué sur vos attentes vis-à-vis de votre mari ?

— Écrire nos souvenirs a renforcé ma certitude : Ben est mon âme sœur. Mais j'envisage la possibilité qu'il ne soit pas du même avis. Je sais désormais qu'il peut ne pas revenir.

— Comment vous sentez-vous quand vous l'imaginez ?

Je ferme les yeux.

— J'ai mal. C'est terrible de penser que je suis peut-être la seule à ressentir encore notre amour. Mais la différence, c'est que, maintenant, je crois que je peux me relever.

Je vois l'intérêt s'allumer dans l'œil du Grand Schtroumpf.

— Qu'est-ce qui a changé ?

Je prends un air détaché.

— Peut-être qu'il n'a pas vécu notre histoire de la même manière que moi. Peut-être que certaines choses l'ont amené à prendre de la distance…

— Quoi, par exemple ?

— Je ne sais pas.

Il plisse les yeux et me dévisage. On dirait un détecteur de mensonges.

— Vous êtes sûre que vous ne savez pas ?

— Oui, je suis sûre.

Il reste silencieux un long moment, l'air inquisiteur. Je regarde les photos accrochées au mur, les rideaux, les stylos. Tout plutôt que la vérité en face.

— Pauline, si vous ne me dites pas tout, je ne pourrai pas vous aider. Vous comprenez ?

Je hoche la tête. Ma bouche devient sèche. J'ai envie de sortir d'ici. Je ne suis pas prête.

— Je ne veux pas vous brusquer, poursuit-il, mais nous avons entamé la thérapie depuis plusieurs mois maintenant, or nous n'avons pas encore abordé ce qui vous ronge vraiment.

Les larmes noient mes yeux. J'ai mal au ventre.

— Vous n'êtes pas obligée, vraiment. La première fois que vous êtes venue, votre mère m'a raconté un épisode important de votre vie. Je suis là pour vous aider.

Je le déteste. Je déteste ma mère. Je déteste Ben. Je déteste mon cerveau de mettre au premier plan de mes pensées ce que je voudrais oublier.

Il faut que je le fasse.

Je prends une longue inspiration saccadée :

— C'est vrai. Je ne vous ai pas tout dit.

20 septembre 2012

Je suis arrivé juste à temps. Tu étais allongée sur la table d'examen quand je t'ai rejointe dans la pièce. Tu m'as lancé un regard noir.

Je t'ai dit que je n'avais pas vu l'heure à cause du boulot.

Le radiologue m'a demandé de m'asseoir et il a appliqué le gel sur ton ventre. Il a fait glisser l'appareil et le spectacle a commencé.

C'était la troisième fois qu'on la voyait. Bientôt, on la serrerait dans nos bras. Notre fille.

Elle a levé son bras, comme si elle avait voulu nous dire bonjour. Je ne lâchais pas l'écran des yeux, j'étais émerveillé. C'était nous qui avions fait ça. De la magie, voilà ce que c'était.

Tu as pris ma main, je sentais ton cœur battre dans tes doigts. Ton regard n'était plus noir.

On avait déjà vécu ça, mais, cette fois, il y avait un truc en plus : on savait. On savait quel ouragan d'amour allait nous engloutir, quelle joie intense on allait ressentir en la voyant pour la première fois, on savait qu'on aurait le cœur gonflé en la regardant dormir, des fous rires à chacune de ses grimaces, on savait ce sentiment d'avoir une raison de vivre.

Le radiologue a éteint l'écran et nous a dit que tout allait bien. Qu'elle ne devrait plus tarder à arriver. Il nous a demandé si on avait choisi son prénom.

On avait choisi son doudou, un petit Bourriquet qu'on avait acheté en triple, ses bodys, les couleurs de sa chambre, son lit, son savon, ses chaussons, ses robes, son mobile, et son prénom. J'ai répondu qu'elle s'appelait Ambre. On aimait la signification. En grec, ça veut dire « Immortelle ».

Chapitre 61

— Qu'est-ce que tu fais là ?

Ma sœur, cet être aimable.

— Maman m'a dit que tu étais hospitalisée, alors je suis venue te tenir compagnie.

Je lui tends la boîte de chocolats, elle esquisse une grimace. Je la prends pour un sourire. Je m'assois dans le fauteuil au pied du lit :

— Alors, qu'est-ce qui s'est passé ?

— J'ai eu des saignements et des douleurs. C'est un décollement du placenta. Le bébé va bien, mais ils me gardent sous perfusion plusieurs jours pour résorber l'hématome. Ensuite, je serai alitée pendant les cinq mois restants. Il y a des…

Elle s'interrompt et lâche mon regard.

— Il y a quoi ?

— Non, rien, répond-elle.

— Dis-moi.

Elle secoue la tête. Ses yeux se brouillent.

— Il y a des risques que tu le perdes ?

Elle hoche la tête. Tout son visage lutte pour ne pas laisser couler les larmes.

J'ai envie de partir en courant. Je ne me sens pas de taille à affronter ça, ne serait-ce qu'à l'imaginer. Mais, allongée sous le drap blanc, l'angoisse inscrite sur le visage, ma petite sœur a besoin de moi. Je m'accroupis à côté du lit, à hauteur de son ventre, et je mets mes mains en porte-voix :

— Coucou, toi ! Je m'appelle Pauline et je suis ta tante. Comment tu vas ?

Je colle mon oreille contre le drap.

— Il va bien, dis-je à ma sœur, avant de reprendre la conversation avec mon futur neveu ou nièce. Ta maman se fait du souci pour toi, mais je suis sûre que tout va bien se passer, pas vrai ? Voilà, je m'en doutais. Comment ? Ah bon ? D'accord, je lui dis. Très bien. Allez, je te laisse, on se voit bientôt. Prends soin de toi !

Ma sœur me fixe, l'air perplexe. Je prends mon air le plus sérieux.

— J'ai un message de la part du bébé. Il te fait dire que les légumes, c'est bien gentil, mais qu'un peu de chocolat ne serait pas de refus.

Elle éclate de rire. Je reprends ma place dans le fauteuil et cherche un sujet pour lui changer les idées :

— Et ton livre, ça avance ?

— J'ai le plan détaillé, je vais avoir le temps d'écrire en restant à la maison, répond-elle avant de marquer une pause de plusieurs secondes. Et toi, tu vas bien ?

La question n'est pas spontanée, l'effort qu'elle représente est palpable.

— Ça va. J'ai repris le boulot, Jules est chez Ben, le train-train.

— Tu crois qu'il va revenir ?

— Chaque jour un peu moins.

— Je te le souhaite. Je crois que si Jérôme me quittait, je ne pourrais pas m'en remettre.

La comparaison est maladroite, mais j'ai promis à Nonna de faire des efforts. Ce qui me dérange le plus, c'est de savoir que le parfait petit mari trompe ma sœur avec une certaine Camille, et certainement beaucoup d'autres, et de ne pas arriver à décider si je dois le lui révéler ou le taire.

La porte de la chambre s'ouvre, une sage-femme entre, suivie d'un chariot.

— Bonjour, c'est l'heure de l'échographie !

Je me lève et ramasse mon sac.

— Vous pouvez rester, madame !

Je souris à la sage-femme en secouant la tête. Non, je ne peux pas. Je me baisse vers ma sœur, lui dépose un baiser sur le front et me dirige vers la sortie. Je m'apprête à passer la porte quand sa voix me rattrape :

— Merci d'être venue me voir, Popo.

8 octobre 2012

Quand tu m'as appelé, j'étais au parc avec Jules. Tu as grogné que c'était le moment, qu'elle allait arriver. On a regagné la voiture et j'ai emmené le petit chez ma mère.

Pendant le trajet, je lui ai expliqué qu'on allait faire dodo chez Mamie et que, le lendemain, je reviendrais le chercher pour aller voir Maman et le bébé. Il ne comprenait pas grand-chose, mais il a répété « bébé ? ».

Je l'ai enlacé plus longtemps que d'habitude en lui disant au revoir. C'était la dernière fois qu'il était notre unique enfant.

Je t'ai retrouvée à la maison et on est partis vers la maternité.

Tu as serré les dents pendant tout le trajet. J'avais retenu la leçon de la première fois : pas de bosses et de dos-d'âne, pas de console, pas de gâteau.

C'était dur de te voir souffrir et de ne rien pouvoir y faire. Je me sentais impuissant. Je te parlais de choses et d'autres pour te changer les idées, je t'aidais à réguler ta respiration, je te laissais enfoncer tes ongles dans ma main. Tu avais vomi pendant trois mois et tu dor-

mais assise depuis plusieurs semaines, c'était le moins que je puisse faire.

On a pris quelques minutes en arrivant devant le bâtiment. Notre vie allait encore changer. Notre famille allait s'agrandir, notre cœur aussi. Le bonheur n'est jamais aussi grand que quand on s'apprête à le toucher.

On a souhaité bon voyage à notre petite Ambre, on lui a dit qu'on avait hâte de la rencontrer et on a marché vers l'horreur.

Chapitre 62

Le mois d'août à l'agence, c'est plus soporifique qu'un reportage sur la vie nocturne des koalas sous verveine. Les entreprises sont fermées, les appels sont rares, les candidats sont à la plage, mes collègues sont en vacances, hormis Pascal, mon directeur, et José, un des commerciaux, qui travaillent dans les bureaux à l'étage. Je range les trombones par couleur pour ne pas piquer du nez quand la porte s'ouvre. Un homme souriant se dirige vers moi.

— Bonjour, je cherche un emploi d'électricien, vous avez ça en stock ?

Je l'invite à s'asseoir, heureuse qu'un peu d'action vienne s'incruster dans cette journée.

— Il n'y a pas de poste à pourvoir en ce moment, la plupart des entreprises sont fermées au mois d'août, mais je peux créer une fiche candidat et nous vous appellerons si nous avons une offre qui correspond. Vous êtes d'accord ?

— Très bien.

J'ouvre le fichier correspondant et je commence mon interrogatoire.

— Avez-vous des diplômes ?

— Non.

— Des formations dans le domaine de l'électricité ?

— Aucune.

— D'accord. Ce n'est pas grave, ne vous inquiétez pas, l'électricité est un métier qui s'apprend surtout en pratiquant.

L'homme n'a pas quitté son sourire. Je poursuis :

— Quelles sont vos expériences ?

— J'ai installé une prise extérieure et je change souvent les ampoules.

Je le dévisage, persuadée qu'il va me révéler qu'il s'agit d'une blague et me dérouler ses nombreuses expériences. Mais rien.

— Vous avez d'autres expériences, peut-être un peu plus techniques ?

Il réfléchit quelques instants, puis répond :

— Une fois, j'ai réparé un radiateur chez des amis.

D'accord. Je pense qu'il a pris le jus.

Je n'ai pas le cœur à le vexer et pas envie que Pascal me mette encore en vacances forcées. Comme si tout était normal, je continue de remplir le formulaire d'inscription.

— Très bien. Vous aimeriez quel type de contrat ?

— Je prends tout, mais je préférerais un CDI.

— D'accord. Vous avez des exigences concernant le salaire ?

— Aucune.

Tu m'étonnes.

— Avez-vous apporté un CV ?

— Non, j'en ai pas.

— OK. Bon, je crois que j'ai tout ce qu'il me faut. Je prends vos coordonnées, pour pouvoir vous contacter, et nous aurons fini. Votre nom ?

— Lhermitte, avec un H et deux T. Comme Thierry.

— Merci. Votre prénom ?

— Bernard.

Je plante mes yeux dans les siens. Aucun signe de moquerie. Pourtant, il se fout de moi, il ne peut en être autrement. Après René Latoppe, Bernard Lhermitte. C'est quoi, le prochain ? Marc Page ? Jean Bonneau ? Marie Kouchtouala ?

— C'est votre vrai nom ?

— Oui, pourquoi ? répond-il sans se départir de son sourire.

Mes zygomatiques me torturent, mais je les maîtrise. Une fois, ça m'a servi de leçon.

— Pour rien, monsieur Lhermitte. Votre dossier est complet, nous le conservons précieusement, et nous vous appellerons si nous avons un poste qui vous correspond.

L'homme se lève et me tend la main.

— Merci, madame ! À très bientôt !

— Merci à v…

Des applaudissements m'interrompent. Pascal est devant l'ascenseur, hilare. Le candidat le rejoint et lui tape dans la main. Je mets quelques secondes à assembler les pièces du puzzle.

— Pauline, je vous ai déjà parlé de mon frère Jean-Marc, le comédien ? Il a accepté de vous jouer un petit tour, histoire de vérifier que vous étiez totalement guérie. Je suis rassuré, vous allez mieux !

Ils s'esclaffent tous les deux, fiers de m'avoir piégée.

Il a raison, je vais beaucoup mieux. La preuve : il est encore vivant.

8 octobre 2012

La sage-femme a relevé ton tee-shirt. Elle a posé l'appareil contre ton ventre. Elle l'a fait glisser. Glisser. Glisser encore. Elle est sortie du box, sans un mot.

Tu as levé les yeux au ciel en disant que les pannes tombaient toujours sur nous. J'ai souri en espérant qu'ils avaient du matériel de rechange.

La sage-femme est revenue, suivie d'un jeune homme. Il s'est présenté, c'était l'interne. Il traînait un chariot sur lequel était posé un appareil à échographie. Il t'a demandé si tu la sentais bouger. Tu as répondu en riant qu'elle devait se préparer pour le grand saut, parce qu'elle était calme depuis plusieurs heures.

Il a appliqué le gel, puis a posé l'appareil sur ton gros ventre. Juste en dessous, notre fille était prête à nous rejoindre. Il l'a fait glisser. Glisser. Glisser encore.

L'écran était tourné face à lui, on ne pouvait pas le voir. Mais j'ai vu ses sourcils froncés.

J'ai compris avant toi.

Je n'osais pas te regarder, je ne voulais pas que tu saches. Mais je n'ai pas réussi à empêcher mes larmes de te dire la vérité.

Tu as compris. J'ai vu la terreur dans tes yeux.

Il y a eu ces quelques secondes durant lesquelles tout était encore possible, même ce qui ne l'était pas vraiment. Une panne de l'appareil, un interne mal formé, le cœur qui avait fait une pause avant un si gros effort. Et puis, la voix de l'interne a fait exploser tous nos espoirs.

Il était désolé. Le cœur de notre bébé s'était arrêté.

La lumière a continué à éclairer, les bruits dans le couloir se sont poursuivis, le médecin et la sage-femme bougeaient encore, le monde n'a pas cessé de tourner. Mais nos cœurs à nous battent un peu moins fort depuis cet instant-là.

Chapitre 63

La douleur, c'est comme un boomerang. Si on essaie de l'envoyer loin de soi, elle nous revient en pleine tête.

On peut faire comme si elle n'existait pas, essayer de la faire taire, mais elle reste là, tapie, latente, à attendre la moindre faille pour se diffuser dans nos veines.

J'ai eu tellement mal que j'ai cru mourir. Je l'ai souhaité, même. Disparaître pour ne plus rien ressentir. Mais il y avait Jules.

J'ai cru que, si je n'en parlais pas, on pourrait faire comme si ça n'avait jamais existé.

J'ai cru que, en m'interdisant d'y penser, cela deviendrait un souvenir tellement flou qu'il ne m'appartiendrait plus vraiment.

Le départ de Ben a ouvert la porte à la douleur enfouie.

Je perdais l'homme de ma vie, mais aussi celui avec qui j'avais vécu *ça*. Il était présent dans tous mes sou-

venirs avec *elle*. Il était celui qui savait. En partant, il emportait tout ce qui me restait d'*elle*.
Ses lettres m'en font prendre conscience.

Un boomerang dans la tête, ça fait mal.

8 octobre 2012

Ils t'ont pris beaucoup de sang.

Ils t'ont posé beaucoup de questions.

L'assistante sociale est venue nous expliquer ce qui allait se passer. Tu allais accoucher normalement, on pouvait choisir de voir le bébé ou non, de l'inscrire sur le livret de famille ou non, d'organiser les obsèques ou non. Elle a demandé si on avait tout compris, on a dit oui, mais on ne comprenait rien.

La psychologue nous a demandé si on avait des questions. Tu as demandé s'il était possible de ranimer notre fille une fois qu'elle serait née.

Ils nous ont installés dans la salle d'accouchement. La même où était né Jules quinze mois plus tôt.

Ils t'ont dit qu'ils pouvaient poser la péridurale tout de suite. Tu as haussé les épaules. Ta douleur, rien ne pourrait l'anesthésier.

On a attendu notre fille en silence.

Dans les chambres voisines, on entendait des bébés pleurer.

On ne se lâchait pas la main.

Ils n'ont pas eu besoin de te dire de pousser. C'était comme si tu voulais qu'elle sorte de ton corps, comme si elle n'y était pas en sécurité.

On a voulu rester seuls avec elle.

Petite Ambre.

Elle avait de longs doigts fins et un tout petit nez. Le même que son grand frère. Je suis sûr qu'elle avait les yeux bleus. Elle était magnifique. On aurait dit qu'elle dormait.

On l'a cajolée, on lui a dit à quel point on l'aimait, tu lui as chanté la berceuse que tu chantais à Jules, tu lui as dit qu'il l'aurait adorée, on a caressé ses tout petits pieds, ses cuisses dodues, ses oreilles recouvertes de duvet, ses joues chaudes. Et puis ils sont venus la chercher.

Au revoir, petite immortelle.

Chapitre 64

J'arrive chez ma sœur la première. J'y suis allée directement en sortant de l'agence. Mes parents et Romain arriveront plus tard.

Elle est rentrée de l'hôpital, mais doit rester alitée jusqu'à la fin de sa grossesse. Jérôme lui a installé une méridienne dans le salon, c'est là qu'elle se trouve quand j'entre dans la maison.

— Tu as meilleure mine ! lui dis-je en l'embrassant.

— Toi aussi !

Sydney déboule en courant et se jette dans mes bras. Je la garde contre moi quelques secondes. Les trois semaines passées avec elle nous ont rapprochées.

— Tatie, il est où, Jules ? demande-t-elle en gigotant.

— Il est chez son papa.

— Et ils vont pas venir ?

— Non, ma chérie, ils ne vont pas venir.

— Allez, Syd ! intervient Emma. Va dans ta chambre, Jane t'attend.

La petite obéit, déçue. Ma sœur m'explique :

— Jane vient une fois par semaine donner des cours d'anglais à Sydney et Milan. Elle est formidable, les enfants progressent beaucoup avec elle. C'est beaucoup plus facile quand on va aux *States*.

— J'imagine bien. Jérôme n'est pas là ?

— Justement, il est à L.A. toute la semaine. Il y ouvre une nouvelle agence, il n'arrête pas ! Le pauvre, ça tombe mal, il est déçu de manquer ça.

— Manquer quoi ?

Elle affiche un sourire énigmatique :

— La raison pour laquelle on se réunit ce soir…

Je n'ai pas le temps d'en apprendre plus, la sonnette retentit et la porte s'ouvre, laissant apparaître nos parents et un bouquet de fleurs.

La raison pour laquelle on se réunit ce soir arrive une heure plus tard.

— Désolé pour le retard ! lance mon frère en ouvrant la porte.

Il n'a pas la même tête que d'habitude. Son sourire est figé et ses joues sont écarlates. Il avance de quelques pas vers nous et s'interrompt.

— C'est moi qui ai demandé à Emma de vous réunir. Je voulais vous inviter au resto, mais elle ne peut pas sortir de chez elle…

Mes parents le regardent comme s'il récitait une poésie.

— Ça fait longtemps que je compte le faire. Maintenant que je suis prêt, je ne veux plus attendre.

Il fait demi-tour et rouvre la porte. Je comprends avant de voir la silhouette entrer dans la pièce.

— Je vous présente Thomas… mon futur mari !

Je regarde mes parents, aucune réaction. Pas un geste, pas un son, plus rien ne bouge. Je m'apprête à leur faire un massage cardiaque quand ma mère se lève d'un bond et se dirige vers Thomas. L'espace d'un instant, j'ai peur qu'elle lui envoie un uppercut, mais elle lui fait la bise prudemment. Mon père se lève à son tour et lui serre la main avec réserve. Romain me lance un regard, je lui adresse un clin d'œil. Pour nous, c'est une soirée presque comme les autres. Pour lui, c'est l'un des moments les plus importants de sa vie.

Nous avons presque terminé les sushis qu'Emma avait commandés quand je prends conscience qu'il y a longtemps qu'elle est partie aux toilettes. J'abandonne mes parents avec Romain et Thomas, qu'ils viennent d'inviter à les appeler Papa et Maman. À ce rythme, ils se feront bientôt tatouer son visage sur la fesse. Romain est au paradis.

Emma n'est pas aux toilettes. Sa voix me guide jusqu'à sa chambre. La porte est entrouverte, j'approche pour la rejoindre, mais je suis stoppée par les mots que j'entends.

— Il faut que tu arrêtes, vraiment. Je suis enceinte, je veux me concentrer sur ma famille. Oui, je suis sûre qu'il est de Jérôme. Arrête, s'il te plaît. Tu rends les choses compliquées. Non, je n'ai jamais dit ça. Oui, j'avais des sentiments. Ce n'est plus possible. S'il te plaît, Camille, ne m'appelle plus.

Je suis tétanisée dans le couloir. J'aurais voulu ne pas entendre ce que je viens d'entendre. Pourquoi on ne peut pas mettre de blanco sur sa mémoire ? Qui est Camille ?

Je n'ai pas fait un mouvement quand Emma sort de sa chambre, son téléphone à la main. Elle se raidit en me découvrant. Nous nous dévisageons pendant plusieurs secondes, entre affrontement et parade nuptiale, puis elle sourit :

— Je suppose qu'il va falloir qu'on discute.

11 octobre 2012

On avait prévu de rentrer avec une petite fille, on est rentrés avec les bras vides. Heureusement, Jules était trop petit pour comprendre.

J'ai fermé la porte de la chambre d'Ambre. Tu as tenu à laisser son prénom accroché dessus.

Tu as passé une semaine dans notre lit. Tu as mis ta vie en pause. Tu ne voulais pas manger, pas te laver, pas parler, pas voir les gens qui osaient continuer à vivre. Je m'occupais de Jules quand il n'était pas chez la nounou, de moi le reste du temps. Contrairement à toi, j'avais besoin de continuer à toucher la vie. Je faisais du sport, j'allais voir des gens, je traînais dans les magasins. Tout pour me prouver qu'elle continuait.

Je restais des heures à tes côtés, en silence. Ça me faisait peur, toute cette douleur dans une si petite pièce. Je craignais qu'elle m'engloutisse. Chaque jour qui passait, je montais une marche vers la guérison. Toi, tu en dégringolais trois.

J'avais mal, mais je ne voulais plus avoir mal.

Toi, tu avais mal. Tout court.

Chapitre 65

— Je vais te raconter, et après on n'en parlera plus jamais. Jamais, tu m'entends ?

— Tu n'es pas obligée.

Ma sœur m'entraîne dans sa chambre et s'allonge sur son lit, les mains sur le ventre.

— Je ne me sens pas obligée. En fait, je pense que ça me fera du bien de me confesser.

Je suis heureuse d'avoir une tête de prêtre.

— À l'école, la meilleure copine de Sydney s'appelle Margaux. Un soir, l'année dernière, elle est venue dormir à la maison. C'est son père, Camille, qui avait la garde cette semaine-là, c'est donc lui qui l'a emmenée. Jérôme était à Miami. On a papoté quelques minutes, le temps pour lui de me donner les recommandations, et pour moi de le rassurer. Le courant est bien passé. Si bien qu'il est resté manger avec nous…

Elle hésite un peu, puis reprend son récit, comme si elle se parlait à elle-même.

Camille l'a rappelée la semaine suivante. Il n'arrêtait pas de penser à elle, il voulait la revoir. Elle a joué l'offusquée, mais, au fond, elle aussi avait du mal à penser à autre chose depuis cette soirée. Elle a résisté. Ce n'était pas ce genre de femme. Elle se sentait déjà coupable en admirant les pages lingerie masculine du catalogue La Redoute, alors *ça* !

Pendant un mois, il l'a appelée souvent. Il lui répétait qu'elle méritait d'être heureuse, d'avoir un mari plus présent pour elle, qu'elle était merveilleuse. Elle écoutait, cela remplissait sa jauge de confiance en elle, mais elle restait ferme. Et puis, plus rien. Plus un appel, plus un SMS. Une semaine. Deux semaines. À la troisième, Jérôme était à New York, Emma a fortement incité sa fille à inviter sa chère copine à dormir. Camille est resté dîner. Et un peu plus.

— Ça n'a pas duré longtemps, je me suis vite reprise. J'ai fait une erreur, une terrible erreur. Avec lui, j'avais l'impression de vivre, de lâcher prise. Pour la première fois depuis longtemps, je ne contrôlais rien. Quand Jérôme m'a proposé d'avoir un autre enfant, j'ai retrouvé la raison.

Pour Camille, en revanche, cela n'a pas été si facile. Il a d'abord essayé la méthode douce en caressant Emma de compliments, puis il a ôté son masque de Bisounours. Dessous, ce n'était pas joli à voir. Insultes, dénigrement, menaces de tout révéler à Jérôme, de salir sa réputation à l'école, il a appliqué à la lettre le *Petit Manuel de l'ego blessé*. Ma sœur a eu peur. Pas au point de revenir, mais elle a tout avoué à Jérôme.

— Il avait remarqué que j'avais la tête ailleurs, mais il n'aurait jamais pu imaginer ça. Il a été anéanti, j'ai cru qu'il ne pourrait jamais me le pardonner.

Elle soupire. J'en profite pour intervenir :

— À Arcachon, j'ai surpris Jérôme au téléphone avec Camille. J'étais persuadée que c'était une femme et qu'il te trompait. Je me demandais si je devais t'en parler ou non…

— Il ne ferait jamais ça. La fidélité est très importante pour Jérôme, sa mère a souffert toute sa vie des tromperies de son père, il l'a très mal vécu. Son unique maîtresse, c'est son boulot. Je me sens parfois seule, mais il n'y a rien d'autre à lui reprocher.

C'est quoi, l'expression, déjà ? L'habit, le moine, tout ça…

— Et donc, ce Camille, il ne veut pas te lâcher ?

— Il fait encore quelques tentatives, mais, comme il n'a plus de moyen de pression, il s'essouffle. Là, il a su que j'étais enceinte, donc il s'est mis en tête qu'il était le père.

— Ce n'est pas le cas ?

— Ça pourrait, si ses spermatozoïdes avaient mis six mois à trouver mon ovule.

Je m'esclaffe, elle m'imite, avant de redevenir grave.

— Cette conversation n'a jamais eu lieu.

Je la regarde d'un air moqueur.

— Ça dépend… Tu penses vraiment que je suis une égoïste ?

— Absolument pas ! Si quelqu'un te dit ça un jour, tu me l'envoies, je lui casse la gueule.

On se regarde en riant pendant quelques secondes. Retour en enfance fugace, quand elle était ma plus chère complice. Est-ce que les enfants que nous étions existent encore, sous toutes nos couches de protection ?

Emma roule sur le côté et se lève du lit. Je l'aide à regagner le salon.

Les enfants sont devant un dessin animé, Milan est sur sa tablette. Ma mère est au téléphone, debout près de la fenêtre. Autour de la table, mon père, mon frère et Thomas ont le visage fermé. Personne ne parle. Pourvu que mon père n'ait pas demandé qui des deux faisait la femme.

— Qu'est-ce qui se passe ? demande Emma en s'installant sur la méridienne.

— Rien, rien, répond mon père en regardant ailleurs.

— On dirait que quelqu'un est mort, dis-je.

Mon père me fait les gros yeux.

Milan lève le nez de son écran et regarde Emma.

— Ils veulent pas te le dire parce que t'es enceinte, mais Colombe vient de faire un AVC.

15 octobre 2012

Je ne savais pas que des cercueils aussi petits existaient. On a pu lui dire au revoir une dernière fois.

Elle portait le pyjama blanc que Nonna avait tricoté pour elle, avec le bonnet assorti.

On a glissé à ses côtés des photos de nous, de Jules, de tous ceux qui l'avaient attendue et l'aimaient, un des trois doudous Bourriquet, des lettres qu'on lui avait écrites et une voiture appartenant à son grand frère.

Ils ont fermé le cercueil. Je n'ai jamais autant pleuré qu'à ce moment-là, j'ai cru que je n'arriverais jamais à m'arrêter. Tu as fait un malaise, ils t'ont aidée à t'asseoir. On était unis dans la douleur.

Tu serrais dans ta main un petit chausson en laine qu'ils lui avaient enfilé lors de sa naissance. J'avais le second dans la poche de ma chemise. Tout près du cœur.

Il y avait tous nos proches. Des mots doux. Des fleurs blanches. Du soleil. Les musiques qu'on avait choisies. Des sanglots. Des câlins. De l'amour.

J'ai entendu le cri que tu as étouffé quand le cercueil est parti. Je n'ai rien pu faire pour t'aider, mon corps ne fonctionnait plus.

C'était fini. Ses obsèques étaient notre dernier projet avec elle.

Chapitre 66

Ben affirme qu'il n'a rien oublié des souvenirs que je lui ai écrits. Moi non plus, je n'ai rien oublié de ceux qu'il m'envoie.

Je me souviens précisément de ce que j'ai ressenti au moment où l'interne a prononcé les mots qui ont tout fait basculer. La terreur. Je n'avais pas peur d'avoir mal, de mourir, je n'avais pas peur pour moi. J'avais peur de continuer à vivre sans celle que j'avais espérée, imaginée, attendue. Celle que j'aimais déjà tellement.

Je me souviens parfaitement de ma douche avant l'accouchement. Dans cette salle de bains blanche, le miroir me renvoyait le reflet d'une femme qui portait la vie. J'ai fait mousser la Bétadine sur ma peau tendue, dévastée, mais étrangement heureuse de partager ce moment avec ma fille, avant qu'elle ne me quitte pour toujours.

Je me souviens de la douceur de ses joues, de ses minuscules pieds dans mes mains, de son poids sur mes bras vidés de leur force. Je me souviens d'avoir pensé que, si je l'espérais suffisamment fort, ses yeux s'ouvriraient et ses cris inonderaient le silence oppressant.

Je me souviens de Ben qui a sorti son téléphone pour prendre une photo d'elle, d'avoir trouvé cela déplacé. Je ne le remercierai jamais assez de l'avoir fait. Aujourd'hui, les petites empreintes de pieds faites par le personnel de la maternité, les échographies et cette photo sont les seules choses qui me permettent de passer un moment avec ma fille.

Je me souviens d'avoir arrêté de manger, d'avoir vidé mes seins gorgés de lait inutile sous la douche, d'avoir cru sentir des coups dans mon ventre vide, je me souviens de mon oreiller trempé de larmes, de Jules qui réclamait sa mère qui ne se sentait plus mère, de ce trou sombre au fond duquel j'étais assise, persuadée que je n'en sortirais jamais.

Je me souviens de tous les regards chargés de compassion, des mains qui ont tenu la mienne, des larmes contenues, des cartes, de toute la bienveillance dans laquelle nos proches nous ont enveloppés. Je me souviens de la douleur ressentie face à la maladresse et à l'incompréhension : « Vous êtes jeunes, vous en aurez d'autres », « La nature est bien faite, c'est arrivé parce que ça devait arriver », « C'est moins grave que si vous l'aviez vraiment connue, imaginez si vous l'aviez perdue à deux ans ».

Je n'ai rien oublié, mais j'ai peur que cela arrive. J'ai peur que le temps efface les détails, qu'il altère la vérité. Une nuit, récemment, je me suis rendu compte que je ne me souvenais plus de l'avoir embrassée. Je SAIS que je l'ai embrassée, mais je ne me rappelle plus si c'était sur son front, sur sa joue, sur son nez, je n'ai plus d'images, je ne ressens plus mes lèvres sur sa peau.

Parfois, je voudrais que le temps s'arrête pour ne plus m'éloigner d'elle.

22 octobre 2012

Un matin, le quatorzième après la perte d'Ambre, tu es sortie de la chambre. Tu t'es lavée, tu as mangé, tu as souri. Tu as passé la journée à faire le ménage dans toute la maison, sauf dans sa chambre.

Le soir, après avoir couché Jules, tu m'as appris que tu avais appelé la Sécu. Tu comptais demander une dérogation pour reprendre le travail, parce que le congé maternité devait être effectué intégralement. Tu trouvais ça débile, mais tu étais bien décidée à t'en occuper.

Ça me semblait rapide, de recommencer à bosser si vite après toutes ces journées à rester enfermée. Je t'ai demandé si tu te sentais bien, si tu voulais qu'on discute. Tu m'as fixé d'un air qui n'acceptait pas la contradiction et tu as répondu que tu ne voulais pas en parler. Que tu ne voulais plus jamais en parler.

Ensuite, tu t'es levée et tu as quitté la pièce en annonçant que tu allais à la station-service pour laver la voiture.

Chapitre 67

Colombe n'a aucun problème avec le fait d'avoir fait un AVC. Enfin, presque.

— Ils refusent de me laisser enfiler une robe, tu te rends compte ? Je ne peux même pas faire arranger ma mise en plis !

Alitée dans un box des soins intensifs, elle n'a manifestement aucune séquelle de son accident. Lorsqu'elle a senti que son bras gauche ne répondait plus, elle a eu le bon réflexe d'appeler le 15. Elle a été prise en charge à temps et le caillot a pu être dissous. Demain, elle montera dans une chambre où elle restera quelques jours en observation avant de retourner chez elle. En attendant, ma mère, mon frère et moi alternons les courtes visites pour lui tenir compagnie sans la fatiguer.

— Tu rentres bientôt chez toi. Tu pourras mettre toutes les robes que tu veux !

Elle tord la bouche et me lance un regard noir.

— Je devrais faire des AVC régulièrement, ça vous pousse à venir me voir…

Je ne peux pas m'empêcher de rire.

— Si tu es venue pour rire de moi, tu peux rentrer chez toi !

— Oh, arrête, Colombe ! Je viens parce que ça me fait plaisir de passer un moment avec toi, faisons en sorte qu'il soit bon !

— Je préfère tout de même t'avertir, que tu ne sois pas déçue : je lègue tout à l'Église.

— Ah bon ? fais-je en ramassant mon sac. Pas la peine que je perde de temps alors. Bonne journée, Colombe !

Elle a l'air effarée. J'éclate de rire avant qu'elle n'appuie sur la sonnette. Elle hausse les épaules, mais le soulagement se lit sur son visage.

— Au moins, tu mets plus d'animation que ta mère. Ce matin, elle a entrepris de me lire *Le Livre de ma mère*, d'Albert Cohen. Je lui ai suggéré de garder mon éloge funèbre pour le moment où je serai froide.

J'imagine la scène et j'ai de la peine.

— T'es dure avec elle.

— Je ne suis pas dure, je suis honnête, rétorque sèchement ma grand-mère Je n'ai jamais su faire semblant, c'est bien pour cela que j'ai divorcé trois fois.

— Je peux te poser une question ?

— Au point où nous en sommes…

— Tu voulais avoir des enfants ?

Elle soupire avec agacement.

— À l'époque, la question ne se posait pas. J'avais d'autres aspirations, mais j'étais une femme. Je ne suis pas un monstre, j'ai passé de bons moments avec ta mère, mais nous sommes très différentes, elle et moi. Elle est trop sensible, trop faible. Je suppose que j'ai manqué quelque chose, mais nous ne pouvons pas changer les choses.

— Elle t'aime beaucoup, tu sais.

— Ta mère serait capable d'aimer un tronc d'arbre s'il lui donnait de l'affection ! Toi, tu es différente, tu es forte. Tu n'as pas été épargnée, mais tu ne te laisses pas abattre. Tu as raison, la vie n'est qu'une succession d'épreuves. Ne te fais surtout pas briser par un homme, tu vaux mieux que cela. Tu as toujours été la plus intelligente.

Si elle continue, je vais appeler un infirmier. Des amabilités dans la bouche de Colombe, c'est mauvais signe.

— Ne fais pas les mêmes erreurs que ta mère, poursuit-elle, ne t'encombre pas de sentiments inutiles. Ils ne sont que des boulets qui empêchent de se réaliser. C'est une bonne chose que Benjamin demande la garde conjointe du petit, c'est une bonne chose que vous n'ayez pas eu d'autre enfant, tu t'en rendras compte un jour. Tu dois être la personne la plus importante pour toi-même.

Je suis abasourdie par la brutalité de ses propos.

Je patiente quelques minutes, qu'elle décrète que je l'ai suffisamment ennuyée, que je peux disposer, puis je m'éloigne de cette grand-mère qui porte ses piquants comme d'autres des bijoux.

Tout le monde peut se rassurer : Colombe va très bien.

2 décembre 2012

Plus tu avançais, plus je m'enfonçais. Je croyais avoir terminé le deuil de notre enfant, je ne l'avais pas entamé.

Je me débattais dans des sables mouvants. J'essayais de m'épuiser au travail, de rire avec Jules, de faire comme si rien n'avait changé, mais ça sonnait faux. Ma vie était une mauvaise mélodie.

J'ai eu besoin de t'en parler. Tu étais la seule personne qui partageait ma douleur, la seule à pouvoir me comprendre. Tu étais l'autre parent d'Ambre.

J'ai vu tes yeux se remplir à l'instant où j'ai prononcé son prénom. Ton menton a tremblé. Tu es restée muette. J'ai compris que, si je soufflais sur le mouchoir que tu avais posé sur ton chagrin, tu t'effondrerais. J'ai laissé le mouchoir en place et j'ai pris rendez-vous chez un psy.

Chapitre 68

J'ai quatre minutes de retard.

Quand je le raconterai au docteur Pasquier, il me félicitera. En attendant, j'ai les mains moites et l'impression que le monde m'attend pour continuer à tourner.

Ce matin, le réveil a sonné plus tôt qu'à l'accoutumée. C'est la rentrée de Jules. Pendant les vacances, il a pris un autre rythme, je voulais lui laisser le temps d'émerger sans stress. J'ai tout préparé hier : ses chaussures neuves, sa tenue, son nouveau cartable avec lequel il aurait dormi si je l'avais laissé faire, ses photos d'identité, le bol pour le petit déjeuner.

C'est au moment de partir que les choses se sont gâtées. Jules ne voulait plus y aller. Il s'accrochait à ma jambe et laissait couler son chagrin sur ses joues. J'ai essayé de le raisonner, ma mère a essayé de le raisonner, mon père a essayé de le raisonner, mon fils ne voulait pas aller à l'école.

Les minutes filaient, mon stress enflait, j'ai envisagé la possibilité de le ligoter et de le livrer en l'état à la maîtresse. Mais quand il m'a dit, le menton tremblant, « Ze veux rester avec toi touzours », j'ai compris qu'il avait peur. Le fait d'avoir passé un mois loin de moi ne devait pas y être étranger.

L'idée a mis plusieurs minutes à germer. J'ai détaché de mon poignet un bracelet de fils tressés que je portais depuis l'été, je l'ai enroulé et noué autour du sien.

— Comme ça, Maman sera un peu avec toi. Ce soir, je viendrai te chercher et on ira au parc, d'accord ?

— Z'aurai une socolatine aussi ?

La chocolatine a achevé de le convaincre, le petit guerrier a essuyé ses larmes – et son nez – avec sa manche propre et a couru vers la voiture.

Ben est devant le portail quand nous arrivons. Jules se précipite vers lui.

— Regarde, Papa ! Maman, elle m'a donné son bracelet !

Il me sourit, je lui souris, il y a ces quelques secondes durant lesquelles nous nous demandons si nous devons nous faire la bise, et nous nous dirigeons tous les trois vers la deuxième année d'école.

Je dis souvent à Jules que nous resterons toujours une famille. Ce matin, chacun avec une main de notre enfant dans la nôtre, cela n'a jamais été aussi vrai.

Les retrouvailles avec ses copains se font crescendo, mais rapido. On s'observe, on se jauge de loin, on se rapproche et on finit par se tirer par la manche pour aller jouer ensemble.

Jules répond à peine à notre au revoir.

— Ça va, toi ? me demande Ben en traversant la cour.

— Ça va. Je me suis promis de ne pas pleurer aujourd'hui, il faut que j'accepte de le laisser grandir !

Du coin de l'œil, je vois son visage se tourner vers le mien.

— Je ne parle pas de la rentrée. Je parle de mes lettres.

Je me suis promis de ne pas pleurer aujourd'hui.

— Ça remue…

— Je suis désolé.

— Non, tu as bien fait. C'est dur, mais c'était nécessaire. J'avais posé un pansement sur la plaie sans la nettoyer. Tu as arraché le pansement, maintenant je vais la laisser cicatriser à son rythme.

Il me raccompagne à ma voiture. J'ouvre la portière, il me sourit tendrement. Je suis heureuse que nos relations s'apaisent. Mais putain, qu'est-ce que je l'aime.

14 février 2013

On a passé la soirée au restaurant, tous les deux. Mon psy avait pensé que ce serait une bonne chose de nous retrouver, alors j'avais réservé une table dans notre restaurant et ton frère était venu garder Jules.

Il y a eu beaucoup de silences. C'était comme s'il fallait réapprendre à marcher ensemble après un accident. On lançait des sujets de conversation pour éviter de parler de ce qui nous obsédait vraiment. On aurait dit deux enfants qui jouaient au papa et à la maman.

Petit à petit, c'est devenu plus naturel. On a parlé de Jules, de nous, on a même souri. C'était presque comme avant, en un peu moins léger, en un peu plus fêlé. On avait perdu cette part d'innocence qui nous reliait à l'enfant que nous avions été. On était devenus adultes, de la manière la plus brutale qui soit.

On n'est pas rentrés tard. Jules dormait, ton frère est parti, on a eu la même idée. Depuis quatre mois, on n'avait pas fait l'amour.

Tu as voulu éteindre la lumière. C'était bon de sentir ton corps, ta peau. On s'accrochait l'un à l'autre comme à la vie. On se caressait, tu embrassais mon torse, je respirais ton cou, tu gémissais, j'avais la tête qui tournait. Mais, imperceptiblement, je t'ai sentie te raidir. Tu es restée immobile quelques minutes, puis tu m'as repoussé doucement.

Tu m'as dit que tu ne pouvais pas, que c'était à cause de ton corps. Je t'ai répondu que je comprenais. Tu as voulu savoir si je t'en voulais, je t'ai demandé de quoi je pouvais bien t'en vouloir. De tout, tu as répondu.

Je t'ai serrée de toutes mes forces. Tu détestais ton corps de n'avoir pas su protéger notre bébé. J'aurais voulu trouver les mots pour te rassurer, mais ils ne venaient pas. Je n'étais pas en colère contre toi, tu n'étais pas responsable de ce qui était arrivé, je n'en avais aucun doute. Mais je n'arrivais plus à toucher ton ventre sans penser à ce qu'il avait abrité.

Chapitre 69

Il n'y a pas grand monde au cimetière. Colombe n'avait pas d'amis. Il n'y a que nous, la famille, et un membre du personnel de sa résidence qui représente les autres.

Ma mère est dévastée. Mon père d'un côté, moi de l'autre, nous assurons ses jambes coupées par le chagrin.

Mercredi soir, comme tous les soirs depuis que Colombe était rentrée de l'hôpital, ma mère est passée la voir. La trouvant en forme, fidèle à elle-même, elle l'a laissée en lui disant « À demain ». Colombe n'a pas atteint le jour d'après. Dans la soirée, un AVC plus violent que le premier l'a emportée.

J'ai rarement vu ma mère pleurer. La dernière fois, c'était aux obsèques de ma fille. Elle a l'air tellement vulnérable qu'on croirait que sa robe noire va l'aspirer.

Mon frère passe sa main sur ma joue. Je n'avais pas senti mes larmes couler.

Je ne me suis jamais sentie proche de Colombe. C'est comme si elle avait passé sa vie à essayer de repousser ceux qui pourraient l'aimer. Elle était très douée. Ses réflexions acides lors des repas de famille me manqueront, mais ce n'est pas cela qui me rend triste. C'est d'avoir envie de consoler ma mère, mais de ne pas la connaître suffisamment pour savoir comment m'y prendre.

3 mars 2013

J'étais passé à la pharmacie pendant que tu étais au travail. J'avais jeté l'ordonnance dans la poubelle extérieure et j'étais rentré à la maison pour cacher les boîtes.

Quand j'avais dit au psy que je n'arrivais pas à reprendre pied malgré toutes mes tentatives, il m'avait proposé un traitement antidépresseur. J'avais refusé, puis l'idée avait fait son chemin. Si on boite, on utilise une béquille, le temps d'aller mieux.

Je ne voulais pas que tu saches. J'avais peur que tu aies peur, mais aussi que tu me juges. Tu allais de mieux en mieux. Ta béquille à toi, c'était la routine. Tu rangeais, tu classais, tu planifiais. Tu as toujours été plus organisée que moi, mais, depuis elle, c'était devenu plus que ça. Comme si tu avais besoin de tout maîtriser pour ne plus te laisser surprendre. Si tu avais su que je prenais des médicaments, tu n'aurais pas compris.

Il fallait que ce soit en hauteur, pour que Jules ne puisse pas l'atteindre. Il fallait que ce soit dans un endroit où tu n'allais pas. Je suis allé dans la chambre d'Ambre et j'ai glissé la boîte sous ses petits bodys, sur la dernière étagère de son armoire. Du bout des doigts, j'ai senti quelque chose. Du carton. J'ai tiré l'objet et il m'a fallu quelques secondes pour comprendre.

C'était une boîte d'antidépresseurs, les mêmes que les miens. La posologie était inscrite dessus, ainsi que ton nom.

Je suis resté plusieurs minutes à observer ces deux boîtes dans mes mains. Avant, on ne se serait jamais caché ça. On vivait la même douleur, mais on ne la partageait pas. À trop vouloir s'épargner, on s'était éloignés.

Chapitre 70

— Je crois que je commence à accepter l'idée qu'il puisse ne pas revenir.

Les mots qui sortent de ma bouche m'étonnent moi-même. Comme si mon corps savait des choses avant que mon cerveau les ait intégrées. Le docteur Pasquier affiche l'air satisfait du maçon qui a bien réussi son mur.

— Vous vous souvenez de notre première rencontre ? demande-t-il. Je vous avais parlé des différentes étapes du deuil. L'acceptation est la dernière.

— Je ne suis pas sûre d'y être vraiment, mais je commence à l'envisager sans avoir envie de me trancher les veines avec une photo de lui.

Il lâche un petit rire, avant de reprendre son air professionnel.

— Accepter de le laisser partir ne signifie pas arrêter de l'aimer. Pour cela, aucune thérapie ne peut vous aider. Seul le temps le peut. Je pense que votre idée de lui avoir envoyé des souvenirs était excellente, et le fait qu'il le fasse à son tour l'est tout autant. Je le suggérerai à des patients dans la même situation.

— Je touche une commission ?

— Apparemment, vous êtes totalement guérie. Plus sérieusement, c'est une excellente idée, car cela vous a permis de revivre les moments forts de votre histoire et de les confronter. Vous n'avez pas la même lecture des choses. Vous avez, sans doute par instinct de survie, conservé uniquement les bons souvenirs. Pour votre mari, c'est différent : le drame que vous avez vécu a pris le dessus sur tout le reste.

— Je me demande s'il m'aimerait encore, si Ambre était là…

— Nous ne le saurons jamais. Vous savez, deux couples sur trois se séparent après la perte d'un enfant. C'est dévastateur, même chez les personnes les plus profondément attachées l'une à l'autre. La perte d'un enfant, c'est la disparition de projets, le chamboulement de la structure familiale, l'anéantissement de son rôle de parent. Dans votre cas, vous avez tous les deux mis en place des mécanismes de protection. Vous avez développé une hypervigilance pour ne plus vous laisser surprendre, tandis que votre mari a fui la réalité. Vous n'avez pas traversé les étapes du deuil à la même vitesse, ni de la même manière. C'est tout à fait classique, mais cela entraîne un éloignement qu'il est difficile de résorber, même quand les mécanismes de protection cèdent.

— C'est compliqué, tout ça. J'ai l'impression d'avoir un ouragan dans la tête. Il y a des choses qui tournent en permanence en arrière-plan, parfois j'ai peur de devenir folle.

Il me dévisage en caressant ses joues briochées.

— Vous avez déjà nettoyé une piscine ?

Le docteur Pasquier et ses questions étranges.

— Non, pourquoi ?

— Quand une piscine est sale, l'eau est trouble, opaque, elle ne donne pas envie de s'y plonger. Pour la nettoyer, il faut d'abord frotter le fond, décoller toutes les saletés pour les faire remonter. Seulement alors on peut les aspirer et les éliminer. Eh bien, vous êtes une piscine.

Je pense qu'il prend de la drogue.

— Tous vos traumatismes remontent à la surface, poursuit-il. C'est long, c'est douloureux, mais c'est nécessaire pour pouvoir les digérer et leur laisser la juste place. Vous savez, il y a une chose dont je suis témoin tous les jours.

Il marque une pause, comme pour donner de l'importance à ce qui va suivre :

— Ce n'est pas parce que ça ne se termine pas comme vous le voulez que ça ne se termine pas bien.

Puis il répète, plus lentement :

— Ce n'est pas parce que cela ne se termine pas comme vous le voulez que cela ne se termine pas bien.

Je hoche la tête, consciente qu'il vient de me livrer une pensée essentielle.

— Il n'y a que vous qui pouvez décider de tirer du positif de chaque événement. C'est la seule chose que l'on peut vraiment contrôler. Depuis plusieurs mois, vous vous autorisez à aller mal. C'est le seul moyen d'aller mieux.

Je regarde ses lunettes rouges, son polo rouge, sa montre rouge, et je me dis que tout le monde devrait avoir un père Noël dans sa vie.

12 avril 2014

Tes parents nous avaient invités à déjeuner. Ils étaient très présents pour nous depuis le départ d'Ambre, ça avait un peu adouci tes relations avec ta mère.

Ton père avait mis les petits plats dans les grands. Il avait même sorti l'argenterie.

Ton frère était là, ta sœur aussi, avec Jérôme, Milan et Sydney. Ta grand-mère Colombe était en bout de table.

Ton père et ton frère ont raconté des blagues tout le repas. Ils faisaient de gros efforts pour nous faire rire. Ta mère te caressait les cheveux à chaque fois qu'elle passait près de toi. On sentait qu'elle avait envie de faire plus, mais qu'elle ne savait pas comment s'y prendre. Tu étais en forme. Je crois que je ne t'avais jamais vue aussi épanouie dans ta famille.

On venait d'attaquer le dessert quand ta sœur s'est levée et a dit qu'elle avait quelque chose à nous dire. Ses mains posées sur son ventre laissaient peu de doutes sur la suite. Elle a regardé Jérôme et, en chœur, ils ont annoncé qu'ils allaient avoir un bébé.

Tous les regards se sont tournés quelques secondes vers toi, puis les acclamations se sont élevées. Tu es restée figée, un sourire factice collé sur ton visage, comme les moustaches des farces et attrapes. Tu as été la dernière à te lever. Mécaniquement, tu t'es dirigée vers Emma et tu l'as embrassée, puis tu t'es rassise. Je ne voyais que tes larmes qui se cachaient.

Ce n'était pas fini.

Ils ont dit qu'ils avaient quelque chose d'important à te demander. Ils en avaient beaucoup parlé et n'avaient aucun doute. Ils voulaient que tu sois la marraine. Vu tes rapports avec ta sœur, j'ai été soufflé.

Ton père a toussé. Colombe a ricané. Tu as ouvert la bouche, mais tes mots ne sont pas sortis. Alors, tu t'es levée, tu as pris ton sac et tu es partie.

Chapitre 71

Ma mère tenait à être seule pour vider le logement de Colombe. Nous avons fait semblant d'accepter, nous l'avons laissée prendre de l'avance, puis mon père, mon frère et moi l'avons rejointe. Quand elle nous ouvre la porte, la reconnaissance se lit dans ses yeux.

Colombe n'a pas amassé les souvenirs. Je me sentais toujours comme une étrangère en venant ici, sans parvenir à identifier pourquoi. En vidant ses placards, au contact de ses biens, l'explication me saute aux yeux. Son univers est uniquement peuplé de choses nécessaires. Des meubles plus fonctionnels qu'esthétiques, des appareils électroménagers dépassés mais en parfait état, de la vaisselle pour une personne et un Minitel. Pas de photos, pas de cadres, pas de bibelots rapportés d'un quelconque voyage, pas de livres. Il n'y a finalement que les vêtements élégants et les bijoux précieux qui révèlent qu'une personne vivait ici.

Le salon et la cuisine ont rapidement été vidés. Une fois le fourgon de location plein, mon père et

Romain effectuent un premier voyage à Emmaüs pendant que ma mère et moi entreprenons de ranger la chambre. Depuis que nous sommes arrivés, elle n'a pas laissé échapper la moindre émotion. Elle donne des instructions, râle parce que ça ne va pas assez vite, se plaint du manque de luminosité et entasse les affaires à la hâte. Nous parlons peu. C'est plus difficile que je ne l'aurais pensé. C'est la dernière fois que je viens ici. La dernière fois que je sens ce mélange de désodorisant et de soupe. La dernière fois que je me trouve dans cette maison en ayant hâte de la quitter. Ma grand-mère est morte. Colombe n'existe plus.

Je surprends ma mère en train de glisser un bijou dans un carton.

— Tu ne veux pas garder ce collier ? C'était son préféré !

— Non. Elle m'avait dit qu'elle voulait léguer tout son argent à l'Église et tous ses biens à Emmaüs.

— Mais tu peux quand même prendre des souvenirs !

Elle éclate en sanglots et se laisse tomber sur le lit. Je m'assois à ses côtés en essayant de contenir mes larmes.

— Je suis triste pour toi, Maman.

— Mais non, ça va aller, dit-elle en essuyant ses joues d'un revers de main. Allez, on s'y remet !

— Maman, tu as le droit de craquer, tu sais ! Tu viens de perdre ta mère, personne ne t'en voudra !

Elle secoue la tête.

— Ça ne lui plairait pas. Elle n'aimait pas quand je flanchais…

— Il y a quelques mois, c'est toi qui me disais qu'il fallait que je craque, que ce n'était pas bon de faire comme si tout allait bien. Tu te souviens ?

— Ce n'est pas pareil.

— Et pourquoi ?

— Parce que tu es ma fille. C'est moi qui dois te réconforter, pas le contraire. Une mère ne doit pas craquer devant ses enfants. Surtout quand ils sont petits et qu'ils ont besoin d'elle.

Je la regarde sans comprendre. Elle passe les mains sur son visage et se lève d'un bond.

— Je commence à dire n'importe quoi, allez, on s'y remet ! Tu n'as qu'à trier le linge de maison, je vais m'occuper des vêtements.

Je viens de déposer dans un carton une taie d'oreiller parfaitement repassée quand je vois le dos de ma mère secoué de sursauts.

— Maman, ça va ?

Elle se retourne, son visage est inondé. Elle me tend un papier.

— Elle était dans le tiroir à sous-vêtements.

C'est une lettre jaunie par le temps, adressée au vrai prénom de Colombe d'une écriture soignée.

4 juin 1941

Ma Marcelle chérie,

Voilà ton deuxième anniversaire que je passe loin de toi. J'ai ton image devant moi, je veux espérer que ta journée sera joyeuse. Je sais que tu as rencontré de bonnes amies et que les sœurs s'occupent bien de toi. Peut-être auras-tu un bon dessert ?

Malheureusement, je ne pourrai être à tes côtés. Je sais que je t'ai promis de venir te visiter régulièrement, mais tout ne se passe pas comme je l'aurais souhaité. J'ai bon espoir de revenir te chercher bientôt. J'aurai une merveilleuse personne à te présenter... Louis et moi avons eu un bébé ! Elle a ta bouche, je suis persuadée que tu l'aimeras beaucoup.

Je pense à toi souvent,

Je t'embrasse tendrement, mon oiseau de paix, ma douce colombe.

Maman

Je lève les yeux vers ma mère. Elle n'arrête pas de pleurer. Je ne suis pas sûre d'avoir tout saisi.

— Elle a été abandonnée, c'est bien ça ?

— Je ne savais pas, articule-t-elle. Colombe disait que sa mère était morte quand elle avait dix ans, mais à la date de la lettre elle en avait douze. Apparemment, elle a réinventé son histoire.

J'ai envie de répondre, d'en discuter, mais je sens mon menton trembler et une douleur familière dans la gorge. La tristesse m'envahit d'un coup. J'ai de la peine pour cette petite fille abandonnée qui a dû lire cette lettre des milliers de fois en se demandant pourquoi sa mère ne venait pas la chercher. Je comprends mieux la femme qui s'est protégée en se laissant pousser des piquants. Ne pas aimer, ne pas se laisser aimer, pour ne pas souffrir.

Je me sens empotée, avec mes bras le long du corps. Sans réfléchir, j'avance vers ma mère et je la serre contre moi. Pendant de longues minutes, elle se laisse aller et pleure sans retenue. Puis, elle se redresse, ouvre la fenêtre, prend une grande inspiration et retourne vers l'armoire.

— Allez ! Arrête de me ralentir, je voudrais terminer au plus vite.

3 décembre 2014

On revenait du parc avec Jules. On avait beaucoup ri, il parlait de mieux en mieux, et l'entendre nous raconter sa petite vie était du bonheur en petites coupures. Son zozotement y contribuait, on avait même envisagé la possibilité de ne pas l'emmener voir un orthophoniste, pour qu'il parle toute sa vie comme ça.

Pendant que tu prenais une douche, Jules est parti jouer dans sa chambre et je me suis posé devant la télé. J'étais en train de piquer du nez quand je l'ai entendu pleurer. Je l'ai rejoint dans sa chambre, tu étais à côté de lui, le visage fermé.

Il était triste, car tu ne voulais pas qu'il joue avec le doudou bleu. Dans ses bras, il serrait une petite peluche. Face à son chagrin, tu t'es un peu adoucie. Tu lui as expliqué qu'il ne devait pas rentrer dans cette chambre et tu lui as demandé une nouvelle fois de te rendre Bourriquet.

Le petit ne comprenait pas. Il y avait des jouets chez lui, mais il ne pouvait pas y toucher. Au moment où tu t'accroupissais, il a demandé si c'était pour sa sœur. Mon cœur s'est recroquevillé. Tu t'es arrêtée net dans ton mouvement. On lui a demandé de répéter, on ne savait pas quoi répondre. Avec toute l'innocence de son âge, il a expliqué que Nouméa, la nouvelle petite sœur de Sydney, avait des jouets partout dans sa chambre. Alors il s'était dit que c'était peut-être pareil pour lui.

Tu as détourné l'attention de Jules avec un autre jouet et tu es allée ranger Bourriquet.

Le soir, en te rejoignant dans le lit, j'ai tenu à en discuter. Ça faisait deux ans, il était temps de vider la chambre d'Ambre et de raconter les choses à notre fils. Je ne voulais pas que ça le perturbe. Tu as décrété qu'il était trop petit, que ça ne servait à rien. Quand je t'ai expliqué que mon psy pensait le contraire, tu t'es énervée. Mon psy te faisait chier, on te faisait tous chier, tu faisais de ton mieux, c'était tout ce dont tu étais capable.

Je t'ai pris la main, je t'ai dit qu'on avait changé. Tu as hoché la tête. Tu savais. Je serrais fort les dents pour ne pas pleurer. Je t'ai demandé si on allait réussir à surmonter ça. Tu as encore hoché la tête, puis tu t'es tournée vers le mur et tu m'as souhaité une bonne nuit.

Chapitre 72

Pauline,

Je t'ai envoyé tous les souvenirs que je voulais que tu lises.

En quelques semaines, j'ai l'impression d'avoir revécu notre histoire.

J'aimerais qu'on en parle, si tu veux bien.

Je t'embrasse,

Ben

Chapitre 73

C'est l'anniversaire de mariage de mes parents. Quarante et un ans ensemble, ça force le respect.

Ils ont voulu fêter l'événement avec nous. Emma ne peut toujours pas se lever, c'est donc chez elle que cela se passe. Allongée sur sa méridienne, moulée dans une robe longue, elle caresse son ventre comme s'il s'agissait d'une boule de cristal. Il est énorme, jamais on ne croirait qu'elle n'est enceinte que de sept mois. Même pour la grossesse, il faut qu'elle fasse mieux que les autres.

— Il bougeait beaucoup à la dernière échographie. La sage-femme n'avait jamais vu ça, elle pense que ce sera un petit footballeur !

— Ou un danseur ! dit mon frère.

— Ah non ! intervient mon père. Les danseurs, c'est tous des pédés !

Je vois l'effroi passer dans les yeux de Romain et de Thomas. Mon père les laisse ainsi plusieurs secondes et, quand ils sont proches de la combustion spontanée, il éclate de rire, fier de sa blague.

— Vous avez de la chance que je ne m'attaque jamais aux grabataires, Patrick ! rétorque Thomas, hilare.

Mon téléphone sonne au moment où mon père sable le champagne. Je sors prendre l'appel, c'est Nathalie.

— Je ne te dérange pas ?

— Non, on fête l'anniversaire de mariage de mes parents chez ma sœur.

— Ah, ah ! Je te fournis un bon prétexte pour t'éclipser, alors !

— Même pas… Tu me crois si je te dis que je passe un bon moment ?

Pendant qu'elle glousse, je fais quelques pas dans le jardin et me poste devant la fenêtre. À travers les rideaux, j'observe ma sœur qui en fait toujours trop, ma mère qui n'en fait pas assez, mon père qui est toujours sur un fil, mon frère qui manque de confiance en lui, et j'éprouve un élan de tendresse pour cette famille imparfaite à laquelle j'appartiens. Cette famille qui m'accepte, moi, l'imparfaite en chef.

— Il faut que j'arrête ma thérapie, je crois qu'elle est en train de me rendre gnangnan.

— Tu peux continuer un peu, t'as de la marge ! ricane-t-elle.

— Hin hin hin. Sinon, tu voulais quoi ?

Elle voulait prévoir une soirée surprise pour l'anniversaire de Julie. Nous prenons quelques minutes pour monter un guet-apens foireux, notre spécialité, et je retourne à l'intérieur.

Au dessert, ma mère est légèrement pompette. Enfin, légèrement… Elle est aussi imbibée qu'une éponge après un dégât des eaux. Lorsqu'elle cogne – fort – son couteau contre sa flûte pour réclamer l'attention, nous passons tous en mode inquiet.

— Avec les récents événements, j'ai pris conscience de quelque chose, déclare-t-elle d'une voix étonnamment claire. Il y a longtemps, je vous ai caché la vérité pour vous protéger. Je crois que cela a eu l'effet inverse…

Thomas se racle la gorge.

— Je vais aller fumer une clope, lâche-t-il en se levant.

Ma mère lui fait signe de se rasseoir.

— Tu peux rester, Thomas, ça ne me dérange pas.

— Et puis, ce serait con que tu te mettes à fumer à trente ans, ajoute Romain.

Thomas se rassoit. Ma mère poursuit :

— Je n'ai eu qu'un seul rêve dans ma vie : être une bonne mère. J'ai attendu que vous soyez tous les trois à l'école pour reprendre mes études et devenir sage-femme, j'ai toujours fait en sorte que vous ne manquiez de rien et, surtout, j'ai essayé de vous protéger. Je voulais vous cacher les côtés sombres de la vie le plus longtemps possible. Je voulais que vous soyez heureux.

Elle hoquette. Je regarde mon frère, il a les yeux brillants.

— Il y a vingt ans, j'ai fait une grave dépression. Je ne connais pas exactement les causes, je me suis sentie glisser pendant des mois, je n'arrivais plus à gérer, le boulot, les enfants, Papa qui buvait beaucoup, je me sentais dépassée. Petit à petit, j'ai perdu le goût de tout, je n'avais plus de patience, je devenais une autre.

Elle s'interrompt, boit une gorgée et reprend. Aucun de nous ne bouge, de peur de casser son élan.

— Un matin, on était en route pour l'école, vous vous chamailliez dans la voiture, j'ai ressenti une pulsion effroyable. Je me suis vue tourner le volant d'un coup sec et nous encastrer contre un mur. Vraiment vue. Je ne sais pas comment j'ai réussi à résister. Je ne suis pas allée travailler. Je suis rentrée à la maison, j'ai tout raconté à Papa, on a beaucoup réfléchi, et on a pris la seule décision qui s'imposait. Je vous ai laissé un mot, on a décidé qu'il ne valait mieux pas vous dire que j'allais mal pour ne pas vous perturber. Je suis restée hospitalisée presque un an. J'avais de vos nouvelles par Papa, vous me manquiez terriblement, mais j'attendais d'être totalement remise, de ne plus être un danger pour vous, pour revenir.

Elle fait une nouvelle pause. Le silence est tel qu'on entend sa salive passer dans sa gorge.

— Je ne regrette pas de m'être éloignée, je crois que c'était la seule chose à faire. Mais j'aurais dû vous dire la vérité. On accepte plus facilement les choses que l'on sait que celles que l'on ignore. En voulant vous protéger, j'ai fait le contraire. J'ai toujours gardé cette culpabilité d'avoir détruit ma famille.

Mon père passe son bras autour de ses épaules.

Mon frère, ma sœur et moi ressemblons à des statues de cire.

Je me suis souvent demandé où était passée ma mère pendant cette année 1995. J'ai tout envisagé : qu'elle était partie avec un autre homme, qu'elle avait eu une maladie, qu'elle ne nous supportait plus, qu'elle avait honte de mon poids. Je crois que j'aurais pu lui pardonner tous les scénarios, si j'avais su. Ne pas savoir donnait toute liberté à l'imagination. Dans la tête d'un enfant, la culpabilité vient souvent s'incruster. Dans la tête d'un enfant, la culpabilité peut tout détruire.

J'ai envie de lui dire que je ne lui en veux pas. Qu'elle a fait comme elle a pu, qu'elle a été la meilleure qu'elle pouvait être avec les cartes qu'on lui avait distribuées. J'ai envie de lui dire que ce n'est pas que sa faute si la famille s'est délitée. Mais tout ce que je parviens à faire, c'est me mettre à pleurer bruyamment. Le chagrin contenu depuis si longtemps s'évapore dans les larmes, je suis une cocotte-minute en fin de programme. Tous les regards sont braqués sur moi. J'essaie de reprendre mon souffle, mais c'est impossible. Alors, pour les rassurer, j'articule entre deux hoquets :

— Ne vous inquiétez pas, c'est juste du soulagement.

Chapitre 74

Jules s'est endormi sur moi pendant que je lui gratouillais la tête. Je le dépose dans son lit et sors de la chambre sur la pointe des pieds en évitant soigneusement la latte qui grince et les jouets pointus. Je suis prête pour « Koh-Lanta ».

Ma mère fait des mots croisés sur le canapé, Mina à ses pieds. Je m'assois à ses côtés.

— Tu voulais me parler ?

Elle pose son magazine et ôte ses lunettes.

— Oui. Ça fait un moment que je veux te dire quelque chose, mais, vu ce que j'ai fait il y a vingt ans, je me sentais mal placée. Maintenant que tu sais tout, c'est important que je le fasse… C'est l'une des raisons qui m'ont poussée à tout vous avouer.

Je m'attends au pire. Elle poursuit :

— C'est à propos de Jules. Tu devrais lui en parler.

— Lui parler de quoi ?

Les mots ont à peine franchi ma bouche que je comprends. Je me ferme instantanément.

— Pauline, je sais que tu n'aimes pas aborder ce sujet, mais on est la preuve que les secrets peuvent faire beaucoup de dégâts.

— Je n'ai pas envie d'avoir cette conversation.

— Je sais, mais il faut que tu entendes les choses. Tu nous as dit combien les lettres de Ben te secouaient, je n'ose imaginer ta douleur, mais peut-être que tu peux justement en profiter. Ton fils a le droit de connaître son histoire.

Je n'ai qu'une envie : me lever du canapé et m'enfermer dans ma chambre. Pourtant, je ne bouge pas.

— Maman, s'il te plaît…

— Pendant mes études de sage-femme, on avait eu un cours à ce sujet. Un de mes collègues en avait profité pour nous raconter son histoire, ça m'a marquée. Avant sa naissance, ses parents avaient perdu un bébé lors de l'accouchement. Ils n'en ont jamais parlé. Il avait quatorze ans quand il l'a découvert, par hasard, dans le livret de famille. Il n'a jamais pardonné à ses parents de lui avoir caché qu'il avait eu un frère. La psychologue avait confirmé : il ne faut pas en faire un secret. Pas besoin d'en parler tous les jours, mais il doit savoir, que ce soit naturel pour lui. C'est pour son équilibre, tu comprends ?

— D'accord, Maman, j'ai compris, dis-je en me levant. Je vais aller me coucher…

— Pourquoi tu prends mal tout ce que je te dis ?

— Pourquoi tu me donnes toujours l'impression d'être une personne horrible ? On dirait que tout ce que je fais ne va pas et que tu relèves tout ce que je ne fais pas. Est-ce qu'il y a quelque chose que tu apprécies chez moi ?

Je l'observe quelques secondes en attendant une réponse qui ne vient pas. Elle reste immobile, les yeux dans le vague. Je tourne les talons et je sors de la pièce, déçue.

J'ai l'impression qu'il me manque quelque chose en arrivant dans ma chambre. C'est impalpable, presque insignifiant, pourtant je le ressens. Je mets un moment à identifier ce dont il s'agit. La colère. Pour la première fois depuis longtemps, je n'en éprouve aucune.

Chapitre 75

Alors que je suis en train de lui parler de ma mère, le docteur Pasquier se lève d'un bond et se poste à la fenêtre. C'est la première fois que je le vois debout. Je sais donc désormais que ses chaussettes sont assorties au reste de la tenue et qu'il porte un pantalon suffisamment court pour qu'on le constate.

— Approchez, murmure-t-il.

Je me lève et le rejoins. D'un signe de tête, il désigne l'extérieur :

— Qu'est-ce que vous voyez ?

— Une rue, des immeubles, des voitures…

— Qu'est-ce qu'il y a de particulier, aujourd'hui ?

— Aucune idée. Il pleut ?

Il hoche la tête, satisfait.

— Eh oui, il pleut. La plupart des gens n'aiment pas la pluie. Vous aimez la pluie ?

Je secoue la tête.

— Pourquoi ? demande-t-il.

— Je ne sais pas, j'ai toujours détesté la pluie. J'ai toujours détesté ce qui m'évoque le malheur. La pluie, le gris, la nuit, les romans dramatiques, les chansons tristes, les journaux télévisés, les aéroports. Je crois que j'ai peur du malheur. À chaque fois que je suis triste, j'ai peur de sombrer et de ne jamais remonter.

Je n'avais jamais pensé à tout cela. Je l'analyse en le verbalisant.

— Vous venez de traverser une période de pluie, sans doute l'une des plus sombres que vous connaîtrez dans votre vie. Vous avez coulé, parce que c'est normal et nécessaire, mais vous êtes remontée, n'est-ce pas ?

— C'est vrai.

— Comment avez-vous fait pour remonter ?

Je réfléchis quelques instants.

— Je me suis dit que ça finirait par passer. Je me suis accrochée aux jolies choses, même les plus infimes.

Du coin de l'œil, je vois un grand sourire barrer son visage.

— Voilà. Vous avez tout compris.

— Je ne suis pas sûre…

— Vous n'avez plus à craindre le malheur. C'est au plus fort de son étreinte que l'on apprécie le plus les choses positives. Lorsque le bonheur est normal, on ne le remarque pas.

Ses mots traversent ma cuirasse et se plantent dans mon cœur. Je prends conscience qu'il a fallu que le bonheur s'échappe pour que je remarque à quel point j'y tenais.

Il me fixe du regard et répète, lentement, comme à chaque fois que c'est important :

— C'est quand on est à l'apogée du malheur que l'on apprécie le plus le bonheur.

— Mais, alors, ça veut dire qu'il faut rester malheureux ?

— Pas du tout ! Ça signifie que, quelle que soit la situation, le positif est là pour ceux qui savent le voir. Une fois qu'on le sait, tout a plus de saveur.

Nous observons en silence les gouttes qui ruissellent sur la vitre. J'ai compris le message. Je ne dois plus avoir peur des orages. Le parfum du bonheur est plus fort sous la pluie.

Chapitre 76

J'ai pris le courrier en rentrant du travail. Il n'y avait qu'un catalogue de Noël et une enveloppe, et elle n'était pas timbrée. J'ai espéré que ce soit Ben, j'attends toujours qu'il trouve une disponibilité pour que nous discutions, comme il en émettait le souhait dans son dernier message. Ce n'est pas son écriture, mais je reconnais immédiatement ces lettres rondes et ces majuscules travaillées.

Mes parents sont dans la cuisine. Mon père prépare le dîner, ma mère lui tient compagnie. C'est une semaine sans Jules, la maison est calme. Je les embrasse et j'échange quelques mots avec eux avant d'aller me mettre à l'aise.

En quittant la pièce, je lève les yeux vers ma mère, elle les évite soigneusement. Je me dirige vers ma chambre, enveloppe à la main, sac sur l'épaule, en me demandant pourquoi elle m'a envoyé une lettre.

Chapitre 77

Ma Pauline,

Nous avons souvent du mal à nous parler, mais moi aussi j'avais envie de te raconter quelques souvenirs de nous.

Je t'aime jusqu'à la fin des temps,
Maman

20 décembre 1979

J'ai peur, j'ai froid, j'ai mal.

J'ai vingt-quatre ans et je m'apprête à donner la vie pour la première fois. Je ne sais pas à quoi m'attendre, ma mère n'a jamais abordé ce genre de sujet avec moi. La seule chose qui m'apaise, c'est de poser mes mains sur mon ventre et de sentir les petits mouvements de mon bébé.

21 h 42 : Tu mesures 48 centimètres, tu pèses 2,9 kg, mais je sais déjà que tu vas prendre toute la place dans mon cœur. Ta minuscule main dans la mienne, je te promets de tout faire pour être une bonne mère.

Je n'ai plus peur, je n'ai plus froid, je n'ai plus mal. Je suis ta maman.

4 juin 1982

Tu as dessiné ton premier bonhomme. Tu as dit « C'est Maman », il avait les jambes plus courtes que la tête et le ventre carré, mais je pense bien l'avoir montré à toutes les personnes que j'ai croisées pendant une semaine.

5 novembre 1986

Tu avais été malade toute la journée. Je t'avais gardée à la maison pendant que ta sœur était à l'école et ton père au travail. Tu étais restée sur le canapé, sous une couverture, pendant que je te gratouillais la tête, que je te lisais des histoires ou que je te chantais ta chanson préférée, Mistral gagnant.

Au moment d'aller te coucher, tu as pleuré toutes les larmes de ton corps. Tu voulais dormir avec moi.

Quand je t'ai demandé pourquoi, tu as expliqué en reniflant que, quand j'étais avec toi, tu n'avais plus mal au ventre.

Papa a dormi dans ton petit lit, et toi serrée contre moi. Je n'ai pas fermé l'œil de la nuit, mais ce n'était pas grave. J'avais une petite fille adorable qui m'aimait plus que tout.

9 février 1987

Romain avait cinq jours. Sa naissance avait été compliquée, j'avais failli perdre la vie, je venais d'être transférée en chambre, je commençais juste à faire connaissance avec mon fils.

Papa est venu vous chercher chez Nonna et Pépé. Emma courait presque en entrant dans la chambre. Toi, tu restais en retrait, à m'observer de loin, le visage défait. Tu avais cru me perdre, tu étais terrorisée. Je ne pouvais pas me lever, j'ai ouvert les bras, tu t'es jetée dedans en pleurant. Au bout de plusieurs minutes, je t'ai proposé de prendre Romain dans tes bras. Tu as secoué la tête. Papa a insisté. Tu as pincé les lèvres et affirmé que, vu qu'il avait failli me tuer, tu ne l'aimerais jamais, tu ne lui adresserais jamais la parole et que tu n'aurais jamais d'enfant.

On aurait dû t'enregistrer.

8 mai 1988

J'étais en train de me maquiller. Tu t'es assise sur la baignoire, imitée par ta sœur, et vous m'avez observée.

— T'es la plus belle de France, Maman ! a dit Emma.

— T'es la plus belle de l'univers, as-tu renchéri.

— Je t'aime jusqu'au pôle Nord, a ajouté ta sœur.

— Et moi, je t'aime jusqu'à la Lune !

— Et moi, je t'aime jusqu'à l'infini !

Tu as réfléchi un moment, tu ne trouvais rien de plus grand que l'infini. Dans le miroir, j'ai vu tes yeux se remplir de larmes. Je me suis retournée et je vous ai fait une proposition qui vous a enchantées à égalité :

— Les filles, vous voulez que je vous maquille ?

Une heure plus tard, les paupières bleues, les lèvres roses, tu es venue me rejoindre dans la cuisine et tu m'as dit :

— Moi, je t'aime jusqu'à la fin des temps.

2 avril 1992

Tu étais amoureuse de Vincent, mais il aimait Valentine.

Tu ne voulais plus sortir de ta chambre, tu ne voulais plus manger, si tu avais pu arrêter de respirer tu l'aurais fait.

J'ai pris une feuille, un crayon, et j'ai passé une heure à dessiner. J'ai glissé le résultat sous ta porte, je n'ai pas eu à attendre longtemps avant de t'entendre glousser.

C'était une BD représentant la vie de Vincent et Valentine quand ils auraient cinquante ans, sept enfants, trois chats et deux cochons d'Inde.

Deux minutes plus tard, tu sortais de ta chambre en demandant s'il restait des lasagnes.

20 décembre 1995

J'avais droit à des permissions à condition que je prévienne à l'avance. J'avais prévenu depuis un mois.

Tu étais l'une des dernières à sortir du lycée, tu riais avec tes amies, mais je te connaissais assez pour voir la pointe de tristesse dans ton regard. Tu avais beaucoup maigri.

J'étais trop loin pour percevoir ta voix, mais elle était quand même dans mes oreilles. Le bus est arrivé, tu as regardé autour de toi, je suis restée cachée derrière mon arbre. Tu es montée dans le bus, je ne voyais plus que tes cheveux, ta tête qui remuait.

Je suis rentrée à l'hôpital le cœur un peu plus léger. Mon bébé avait seize ans, et j'avais eu un beau cadeau.

15 avril 2000

C'était la première fois que tu nous présentais un garçon.

Tu avais passé une heure à te préparer dans la salle de bains. Tu n'en avais pas besoin : depuis que Ben était entré dans ta vie, tu étais lumineuse.

Il est arrivé avec une demi-heure de retard et deux bouquets de fleurs, un pour toi, un pour moi. Il te couvait du regard, il était drôle, à l'aise, il s'est tout de suite entendu avec Papa, il a joué à la console avec Romain.

Quand il est parti, tu nous as demandé ce que nous avions pensé de lui. Nous t'avons dit la vérité : nous l'avions adoré. J'ai juste omis de te dire que j'aurais préféré qu'il m'offre autre chose que des chrysanthèmes.

5 juin 2011

Il dormait paisiblement, minuscule dans tes bras. Tu avais ce sourire sans aucune ombre que je n'avais pas vu depuis ton enfance. Ben avait encore les yeux brillants. J'ai figé cet instant de grâce sur la pellicule.

Après des années d'attente, Jules venait de faire de toi une maman. Et de moi une maman de maman.

15 octobre 2012

J'aurais voulu prendre ta place, te soulager de ta douleur. Tu paraissais transparente, tu disparaissais dans les bras qui te serraient. Quand tu étais petite, je te chantais une chanson pour consoler tes chagrins. Aucune chanson ne pouvait te consoler d'assister aux obsèques de ton enfant.

J'ai attendu avec toi que tout le monde soit parti. Je t'ai accompagnée dans la voiture pendant que Ben s'occupait des formalités. Tu t'es assise sur le siège passager, moi sur celui du conducteur, je t'ai ouvert les bras, tu t'es blottie dedans, et j'ai commencé à chantonner « Mistral gagnant » que tu aimais tant. Surtout le rire des enfants.

Chapitre 78

Ils sont toujours dans la cuisine lorsque je sors de ma chambre. Ma mère lève les yeux vers moi.

— C'est pénible, tous ces catalogues, pas vrai ?

Je hoche la tête.

— T'as raison, j'ai horreur de ça ! Mais là, c'était intéressant.

— Ah bon ?

— Oui. J'ai trouvé quelque chose que je cherchais depuis longtemps.

Elle sourit, puis elle se remet à discuter avec mon père.

Chapitre 79

— Maman, z'ai mal au cœur !

— Ah bon ? Montre-moi, mon chéri.

Jules me montre ses fesses. J'espère qu'il révisera son anatomie avant de dire à une fille qu'il l'aime du fond du cœur.

Depuis qu'il est rentré de chez son père tout à l'heure, il ne fait que se plaindre. Il a mal au cœur, mal aux pieds, il s'ennuie, il a faim, il est fatigué... La traduction physique du mélange d'émotions provoqué par la joie de me retrouver et la tristesse de quitter son père.

Je l'emmène dans ma chambre. Comme à chaque fois, il grimpe sur le lit et saute à pieds joints. Sans un mot, j'ouvre l'armoire, en retire une grosse boîte blanche et je l'ouvre. Il pousse un cri émerveillé en voyant apparaître Bourriquet.

— Oh ! C'est pour moi ?

— Viens, mon chéri, assieds-toi à côté de moi. Je dois te raconter une histoire.

Je lui montre des photos de mon gros ventre, pour qu'il se souvienne, le bracelet rose qu'elle portait à la maternité, ses petites empreintes, ses chaussons. Je lui explique que c'est la raison pour laquelle Papa et Maman sont parfois tristes, que ce n'est pas sa faute, que ce n'est pas interdit de pleurer.

Je ne suis pas sûre qu'il comprenne tout, mais il m'écoute attentivement, Bourriquet serré contre lui. J'ai la voix qui déraille, le cœur aussi, mais le regard de mon petit bonhomme me donne la force d'aller au bout.

— Si tu as besoin d'en parler, si tu veux me poser des questions, tu peux le faire, quand tu veux. D'accord ?

— Mais, Maman, ça veut dire que ma sœur elle viendra zamais ?

— Non, mon chéri, elle n'est plus là.

Il réfléchit en silence un long moment, les yeux dans le vide. Puis il hausse les épaules.

— Eh ben, c'est pas grave, moi ze vais m'occuper de son doudou.

Chapitre 80

Deux mois plus tard

Deux chambres en rez-de-chaussée, un petit jardin, un mimosa. J'ai tout de suite su que nous nous sentirions bien ici.

— Où je mets ce carton ? demande mon frère, suivi de Thomas, aussi chargé que lui.

— Dans la chambre de Jules ! Celle avec les collines peintes sur les murs.

Mon fils a *sa* chambre. La plus grande des deux, avec une fenêtre qui s'ouvre sur le jardin et des étoiles qui brillent au plafond. Il a choisi un lit en hauteur, avec une échelle pour y accéder. J'ai failli refuser, et puis j'ai dit à mes angoisses d'aller voir ailleurs si j'y étais.

Ses boucles deviennent plus souples, ses joues à bisous se sont affinées et son zozotement a cédé après quelques séances d'orthophoniste. Ce n'est pas sans une certaine nostalgie que je vois mon bébé grandir. Bientôt, il aura une grosse voix, des poils sur le visage, il n'acceptera plus mes câlins, je ne serai plus la personne la plus importante de sa vie. En attendant, je profite chaque jour de ce bonheur inouï d'être la maman de cette petite personne merveilleuse.

Je ne sais pas quel homme il deviendra, j'essaie de lui donner toutes les cartes pour qu'il soit la meilleure version de lui-même, ce que la vie nous réserve fera le reste. Je suis la mère que je peux, comme ma mère, ma grand-mère et mon arrière-grand-mère avant moi.

— Sydney, viens voir ma chambre ! crie Jules en entraînant sa cousine dans son sillage.

Ma sœur et Jérôme entrent dans l'appartement. Mon beau-frère tient la main de Nouméa pour l'aider à marcher, Emma porte Paris, âgée d'une semaine, dans ses bras.

— C'est très lumineux ! lance ma sœur en essayant de ne pas trop écarquiller les yeux face à tous les cartons qui envahissent la pièce.

Je les embrasse.

— Merci d'être venus !

J'entrouvre la couverture dans laquelle est enveloppé le bébé et je dépose une bise sur son front.

— Tu veux la prendre ? propose ma sœur.

— Je l'ai portée à la maternité, il ne faut pas abuser des bonnes choses !

Jérôme rit et part aider mon père à monter le lit de Jules, Emma s'installe avec les deux petits sur le canapé encombré. Je rejoins ma mère dans la cuisine.

— T'es sûre que cet appartement est assez grand ? demande-t-elle en déballant la vaisselle qu'elle a tenu à me donner.

— Oui, il y a plein de rangements, c'est parfait pour nous deux. Ce sera notre petit cocon !

Elle hoche la tête, dubitative.

— Tu aurais pu attendre de trouver mieux…

J'éclate de rire, elle me fait une grimace.

Trop de choses nous ont éloignées pour que nous retrouvions un jour une relation vraiment sereine, mais nous avons ce qui s'en rapproche le plus. Je fais des efforts pour ne plus être sur la défensive avec elle, j'ai l'impression qu'elle en fait pour ne plus me reprendre à chaque occasion, il y a quelques heurts, mais la rancune s'est voilée de compréhension. Le temps fera peut-être le reste.

Il fait nuit quand ils s'en vont. Mon père est le dernier à passer la porte. Il dépose un baiser sur ma joue et me glisse à l'oreille :

— J'espère qu'on te verra souvent…

— Promis, Papa, merci de m'avoir accueillie.

Ma mère me fait au revoir de la main et ils s'éloignent tous les deux, l'air un peu plus âgés qu'à l'accoutumée.

Jules est allongé sur son lit, un dinosaure en plastique à la main.

— Elle est trop géniale, notre maison !

— T'as raison, mon chéri, mais on a oublié de faire quelque chose d'essentiel.

Il me suit à l'extérieur, curieux. Nous traversons le jardin jusqu'à la boîte aux lettres. Je sors le petit bout de carton de ma poche et je l'insère dans la petite fenêtre.

Jules Frémont
Pauline Marionnet

Je soulève mon fils dans mes bras et le serre fort. Nous voilà chez nous.

[illegible]

Je salue [illegible]

Épilogue

[illegible]

[illegible] de la [illegible] conster [illegible] comment [illegible] que nous [illegible] pas [illegible] savoir

[illegible] Il s'est [illegible]

[illegible] faire demi [illegible] n'étais pas [illegible] dernier [illegible] exactement [illegible] de [illegible]

[illegible] des années à [illegible]

Épilogue

19 h 58

Nous nous sommes donné rendez-vous dans notre restaurant, en haut de la dune du Pilat. Nous terminons là où tout a commencé. Il m'a proposé que nous y allions ensemble, j'ai refusé. Je ne suis pas sûre d'avoir suffisamment de consistance au retour.

20 heures

Ben m'attend à table, près de la baie vitrée. Il s'est rasé.

Mes jambes tremblent. Elles veulent faire demi-tour. Je m'assois en souriant, comme si je n'étais pas troublée de me retrouver là, avec lui, pour la dernière fois. J'ai l'impression d'assister à notre enterrement.

— Je suis content de te voir.

— Moi aussi.

Il passe la main sur sa joue. J'ai mis des années à comprendre ce que signifiaient ses gestes, ses attitudes, ses moues. J'ignore combien de temps je mettrai à les oublier.

20 h 05

— On se débarrasse du truc désagréable ? propose-t-il.

— Bonne idée.

Je sors de mon sac une liasse de feuilles et la lui tends. Il relit rapidement, il a déjà parcouru la version numérique, puis il attrape un stylo, lève les yeux vers moi, appose ses initiales sur chaque page et sa signature à la fin.

— À ton tour.

Je ne relis pas. Je connais le texte par cœur. Je prends le stylo et valide le document de mon nom de jeune fille.

Le divorce est officiellement engagé.

20 h 10

Je ne cherche pas à retenir mon chagrin. Lui non plus. Une larme dévale sa joue. Je lui prends la main. Nous avons passé quinze ans ensemble, près de la moitié de notre vie, je suis la personne qui le connaît le mieux, il est la personne qui me connaît le mieux. Inutile de faire semblant.

— Je voulais te dire que je ne regrette rien, dit-il d'une voix étranglée. J'ai eu de la chance de venir réparer ton ordinateur, ce dernier jour de 1999, j'ai eu de la chance de partager toutes ces années avec toi. Je suis heureux que tu sois la mère de mon fi… de mes enfants. Je n'aurais pas voulu vivre tout ça avec une autre que toi.

Son pouce caresse mes doigts. Je suis malheureuse, j'aurais voulu que cela se passe autrement. Je reste persuadée que Ben est mon âme sœur, mais j'ai compris qu'il ne m'aimait plus. Notre couple est arrivé à destination.

Nous nous sommes perdus en chemin, à cause de l'usure, à cause de nos changements, à cause de l'épreuve, sans doute à cause de tout cela réuni.

— Moi non plus, je ne regrette rien. Tu es une belle personne, Ben, tu m'as rendue vraiment heureuse. Tu vas me manquer.

— Je serai toujours là si tu as besoin.

— Je sais. Moi aussi.

20 h 15

Le serveur nous sauve de la noyade en venant prendre la commande. Nous enchaînons sur des sujets plus légers. La bonne adaptation de Jules à la garde alternée (il a déjà compris que cela lui permettait de doubler les avantages), le nouveau mec de Julie, la passion du voisin du dessus pour l'aspirateur le dimanche.

21 h 30

Mon assiette est encore presque pleine quand nous décidons qu'il est l'heure de rentrer.

Nos voitures sont garées côte à côte.

— On se suit ? propose Ben pendant que j'ouvre la portière de la mienne.

J'accepte, à condition qu'il ne roule pas trop vite.

Nous nous voyons à peine, seul le plafonnier de ma voiture apporte un peu de lumière, mais je perçois sa silhouette, là, tout près. J'ai envie de caresser son visage, de poser mes lèvres sur les siennes, de lui dire combien je l'aime. Combien je l'aime au point de comprendre son départ, alors que je donnerais tout pour qu'il reste.

Sans un mot, il ouvre ses bras et m'attire contre lui. Je pose ma tête contre son torse, je respire son odeur, celle de nos souvenirs, son cœur joue notre dernière danse. Nous restons ainsi, unis, ensemble, durant plusieurs minutes, puis, dans un long soupir, nous redevenons deux êtres qui viennent de se séparer.

Comme un souffle à mon oreille, alors que je tourne la tête, il me glisse :

— Merci pour tout, Pauline. C'était bien.

21 h 45

J'ai bien fait de prendre ma voiture.

Dommage qu'il n'existe pas d'essuie-glaces pour les yeux.

22 h 30

— Maman, tu viens me faire un bisou ?

— Mais tu ne dors pas, toi ?

Mon frère m'explique qu'ils ont regardé un dessin animé, il vient de le coucher.

Je monte l'échelle qui mène au lit de Jules et m'allonge à ses côtés. Il se blottit contre moi, je lui gratouille la tête.

— Maman, tu vas partir ?

— Pourquoi tu me demandes ça, mon chéri ?

— Parce que, dans le dessin animé, la maman du poisson elle s'en va.

Je le regarde dans les yeux.

— Je ne partirai pas, Jules. Tu peux dormir tranquille.

Il ne faut pas longtemps avant que son souffle ralentisse, que ses mains se détendent et qu'un léger ronflement chante à mes oreilles.

Une bouffée de bonheur m'étourdit. Le phrase du docteur Pasquier me vient à l'esprit. *Ce n'est pas parce que ça ne finit pas comme on le veut que ça finit mal.*

Tu peux dormir tranquille, mon tout-petit. Je suis là. Bien décidée à nous fabriquer une jolie vie.

FIN

REMERCIEMENTS

Un livre est écrit par une personne, mais il n'existerait pas sans les autres…

De mes trois romans, celui que vous venez de lire est sans doute le plus personnel. L'écrire fut aussi douloureux qu'apaisant, vous le livrer est aussi angoissant qu'émouvant. Mais je n'ai eu aucun doute : c'est cette histoire-là que je devais vous raconter.

Quand j'écris mes livres, seule devant mon écran, je n'ai aucune idée de la manière dont vous allez les accueillir. Je suis de nature optimiste, sauf quand cela me concerne. « Ils vont détester », « Je vais les décevoir », « Ils vont m'envoyer des tomates par la poste » : telles sont mes craintes. Autant vous dire que les messages que vous m'adressez sur les réseaux sociaux ou par e-mail, que les mots que vous me chuchotez lors de salons ou de séances de dédicaces, sont des trésors dont je savoure pleinement la valeur.

Je pensais que la lecture et l'écriture étaient des activités solitaires. Je me trompais : ce sont des ponts entre les humains. Lorsque nous échangeons, vous et moi, il y a cette proximité propre à ceux qui partagent les mêmes émotions. On a l'impression de se connaître, de se comprendre sans s'être jamais rencontrés. On a envie de se sauter au cou, de se raconter notre dernière soirée, mais on conserve la gaucherie des premières rencontres. Les mots ont ce pouvoir-là.

Il est logique que mes premiers remerciements soient pour vous, chers lecteurs.

Merci pour vos mots, écrits, prononcés ou sous-entendus. Pour votre enthousiasme qui me booste tant. Pour votre bienveillance qui nourrit ma jauge d'optimisme.

Merci de recevoir mes émotions telles que je veux vous les transmettre. D'être touchés par ce qui me touche. De me prouver qu'on se ressemble tous un peu, au fond.

Merci mon fils d'avoir allumé la lumière. Merci d'arroser notre vie de ta joie à toute épreuve. Merci d'être le plus important personnage du livre de ma vie. Ze t'aime.

Merci A. d'avoir fait ce passage éclair dans notre vie. Tu es resté tout petit, mais tu as une place immense.

Merci mon amour d'être celui qui m'accompagne. Je n'aurais pas voulu partager ce chemin avec quelqu'un d'autre. Merci de me permettre de réaliser mon rêve, d'être mon premier relecteur et d'être heureux rien qu'en me voyant heureuse.

Merci Maman pour ton soutien, ta fierté, ton amour et ta force. Je n'en serais pas là sans toi.

Merci Marie d'être la meilleure petite sœur du monde (et de t'être remise à la lecture pour m'aider).

Merci Papa d'avoir eu la force d'arrêter. Je suis fière de toi.

Merci Nonna et Papy pour ce regard bienveillant et encourageant que vous posez sur moi. C'est bon de partager tout ça avec vous.

Merci mes précieux relecteurs d'avoir su garder un œil objectif et de m'avoir donné du carburant quand j'en manquais : Maman-Muriel, Mapuce-Marie, Tatie-Mimi, Paupiette-Faustine, Chatonne-Gaëlle, Maïne-Marine, mes Bertignac d'amour : Serena Giuliano Laktaf, Cynthia Kafka et Sophie Henrionnet, Marie Vareille.

Merci aux équipes de Fayard de m'avoir accueillie comme un membre de la famille et de porter mes livres avec autant d'enthousiasme et de générosité, et plus particulièrement à Alexandrine Duhin, Sophie de Closets, Sophie Charnavel, Jérôme Laissus, David Strepenne, Pauline Faure, Carole Saudejaud, Ariane Foubert, Anna Lindlom, Lily Salter, Véronique Héron, Marie Lafitte.

Merci aux équipes du Livre de Poche d'offrir à mes livres une seconde vie et d'être aussi passionnés, et plus particulièrement à Audrey Petit, Véronique Cardi, Constance Trapenard, Sylvie Navellou, Anne Boudart, Anne Bouissy, Florence Mas, Jean-Marie Saubesty.

Merci France Thibault de parler si bien de mes livres et d'être aussi fière que moi quand je dis « mon attachée de presse ».

Merci aux libraires de m'accueillir avec chaleur et de permettre à mes romans de s'envoler vers les lecteurs.

Merci aux représentants d'être les premiers à transmettre mes histoires et de le faire avec tant d'enthousiasme.

Merci aux blogueurs, qui ont, dès le début, soufflé sur mes mots pour les faire connaître au plus grand nombre.

DU MÊME AUTEUR :

Le Premier Jour du reste de ma vie…, City, 2015 ; Le Livre de Poche, 2016.

Tu comprendras quand tu seras plus grande, Fayard, 2016 ; Le Livre de Poche, 2017.

Le Livre de Poche s'engage pour l'environnement en réduisant l'empreinte carbone de ses livres. Celle de cet exemplaire est de :
400 g éq. CO_2
Rendez-vous sur
www.livredepoche-durable.fr

Composition réalisée par NORD COMPO

Achevé d'imprimer en juin 2018 en Italie par
Grafica Veneta
Dépôt légal 1re publication : mai 2018
Édition 04 – juin 2018
Librairie Générale Française
21, rue du Montparnasse – 75298 Paris Cedex 06

86/7816/9